# Abus de pouvoir

## Récit d'une intimité sexuelle thérapeute-cliente

# Abus de pouvoir

## Récit d'une intimité sexuelle thérapeute-cliente

**LYSE FRENETTE**
psychologue et psychothérapeute

Abus de pouvoir
Récit d'une intimité sexuelle thérapeute-cliente

Copyright 1991 Les Presses d'Amérique
Une division de l'Agence littéraire d'Amérique
4329, rue Oxford
Montréal, (Québec), Canada H4A 2Y7
Tél : (514) 489-3614
Fax : (514) 489-5109

Conception de la page couverture :
Biliana Kraptcheva / Krapt Design

Composition et montage :
Ateliers C.M. Inc.

Correction d'épreuves :
Éric Martel

Distribution exclusive :
Québec-Livres
4435, boul. des Grandes Prairies
Saint-Léonard (Québec) H1R 1A5

Dépôt légal : 3e trimestre de 1991

ISBN 2-921-378-11-6

*«...il y a de plus en plus de gens qui voient ces choses parce qu'ils ont trouvé à un moment ou à un autre le soutien nécessaire pour y parvenir.»*

Alice Miller

Merci à ceux et à celles qui m'ont accordé ce soutien, entre autres à deux psychologues américaines et surtout à mon psychologue de Montréal et à mon compagnon de vie.

Merci également aux personnes qui ont bien voulu accepter de lire mon manuscrit et qui ont, par leurs commentaires et leurs encouragements, contribué à mener ce livre à terme.

Lyse Frenette

# Avis de l'auteure

Afin d'éviter la reconnaissance publique des personnes concernées, j'ai changé leurs noms et leurs descriptions physiques. Dans un même but, j'ai aussi modifié les lieux des événements.

Toute ressemblance n'est que le fruit du hasard, et ce livre ne peut en aucun cas être considéré comme un libelle diffamatoire.

# Préface

La publication de ce livre est un véritable accouchement. C'est le résultat d'une longue bataille pour guérir d'un mal très particulier : l'intimité sexuelle vécue à l'intérieur d'une relation thérapeutique. L'auteure ose briser le silence. Elle prend le risque de dire et d'affronter la colère de tous ceux et celles, patients (es) ou thérapeutes qui ne veulent pas voir, qui ne veulent pas savoir. À travers son écriture, par son écriture et au fil des événements, Lyse reconstruit sa fierté, son estime d'elle-même et son autonomie. Elle devient une professionnelle aguerrie capable d'affirmer ses croyances et ses choix.

Dès les premières pages du récit, sa capacité à lutter et sa détermination à vivre nous impressionnent. Cette magnifique énergie tout en étant sa richesse devient sa perte lorsqu'elle s'aventure cœur et âme dans cette relation particulière que lui offre son thérapeute. Vulnérable, comme toute personne consultant en psychothérapie, Lyse prend des années à d'abord réaliser l'abus, ensuite, à l'accepter comme tel puis, finalement à décider de s'en occuper.

Son témoignage en est un de sincérité et de recherche personnelle. Il nous fait prendre contact à la fois avec cette vulnérabilité que nous portons tous en quelques coins plus ou moins reculés de notre être et avec cette force de vie qui ne demande qu'à éclater au grand jour.

Tous ceux et celles qui s'intéressent de près ou de loin au processus psychothérapeutique gagneront à la lecture de ce livre. Il nous amène, à travers l'expérience décrite, à saisir l'importance du pouvoir du professionnel de la santé et des multiples aspects de cette relation particulière d'un thérapeute et de son patient.

Merci Lyse de ton courage et de ta détermination. Ton témoignage constitue une source d'inspiration et un puits d'aide pour tous ceux et celles qui ont vécu une situation similaire et qui, isolés, souffrent en silence.

Marie Valiquette, Ph.D., Psychologue

# Mise en garde

J'ai reçu le manuscrit de Lyse Frenette intitulé «Abus de pouvoir, récit d'une intimité sexuelle thérapeute-cliente», manuscrit pour lequel l'auteur et vous-même me demandez une préface.

J'ai lu, avec beaucoup de sympathie pour l'auteure, le récit autobiographique dans lequel Lyse Frenette fait état du rôle important, dans l'évolution de sa vie affective et sexuelle, de l'événement auquel réfère le sous-titre du manuscrit.

Lors de brèves conversations que j'ai eues avec l'auteure puis avec l'éditrice, je m'étais fait une idée générale de l'objectif visé par le livre: dénoncer publiquement une situation où, d'une part, un professionnel de la santé a posé des gestes contraires au code d'éthique de sa profession et où, d'autre part, le système prévu par la législation pour protéger le public en pareilles circonstances n'a pas donné les résultats qu'on attendait de lui. Je vous ai donné un accord de principe pour rédiger une préface, à partir des *a priori* suivants:

1) J'approuve sans réserve le code d'éthique de ma profession qui interdit les rapports sexuels entre un psychothérapeute et une cliente;

2) Je considère qu'en raison de l'état de vulnérabilité dans lequel se trouve une cliente face à son psychothérapeute, c'est ce dernier, et lui seul, qui doit porter la responsabilité de comportements qui vont à l'encontre de son code d'éthique à lui; aucune considération ne peut le dégager de cette responsabilité. Sous cet aspect, le titre proposé pour le manuscrit — *Abus de pouvoir* — me semblait approprié.

11

3) Les mécanismes prévus par le code des professions du Québec et par l'ensemble des lois concernées me paraissent insuffisants pour une protection adéquate du public en cette matière. En conséquence, je partage l'opinion suivante d'Alice Miller, citée par Lyne Frenette dans son manuscrit: «Comment les choses changeraient-elles dans la société, si les horreurs n'étaient pas dénoncées pour ce qu'elles sont?... Mais la condition de ce changement serait que l'on ne cache pas plus longtemps la vérité, si inconfortable soit-elle. »

Après l'accord de principe, il me restait à lire le manuscrit pour me faire une opinion au sujet de cette «vérité, si inconfortable soit-elle» que Lyse Frenette avait le courage de dévoiler. Il me fallait aussi, comme je l'ai déjà mentionné, trouver l'angle «qui aurait pour effet d'accentuer le résultat visé par cette publication».

À la toute fin de son manuscrit, l'auteure nous parle du résultat visé par elle: «C'est alors que je décide d'écrire un livre. Un livre qui me donnera le temps et l'espace pour parler, pour dénoncer». Par rapport à cet objectif, il n'y a rien à accentuer: que l'ouvrage soit publié; qu'il soit lu; et le résultat visé sera atteint.

Par rapport au débat social qui est soulevé par ce texte, par rapport à la protection du public qui me préoccupe personnellement, je n'arrive pas à trouver l'angle sous lequel je pourrais articuler une préface. Voici, en substance, la nature du dilemme dans lequel je me trouve au terme de ma lecture.

D'un côté les faits accumulés par l'auteure et la précision du récit ne me laissent aucun doute sur la réalité des événements qui sont rapportés: il y a donc une «vérité, si inconfortable soit-elle» qui est dénoncée et ce dévoilement devrait inciter les lectrices et les lecteurs — professionnelles et professionnels de la santé, clientes et clients, amis et parents de personnes qui sont en psychothérapie — à se prémunir ou à se protéger de l'erreur professionnelle dont Lyse a subi les conséquences négatives et qui est malheureusement trop fréquente. J'aimerais faire une préface pour accentuer cet effet.

D'un autre côté, le besoin que Lyse veut satisfaire en écrivant ce livre — se donner le temps et l'espace pour parler, pour dénoncer — l'a amenée à parler de tellement d'aspects de sa vie personnelle qu'à mes yeux l'autobiographie prend le dessus sur l'objectif très précis de dénoncer l'*abus de pouvoir* dont fait état le titre. Ce qu'elle dévoile, c'est moins le comportement d'un psychologue qui a dérogé à son code d'éthique que la complicité apparente de toute une sous-culture, dans la région de Québec, où les rapports entre psychothérapeutes et clientes semblent un fait connu et toléré, sinon approuvé : ce n'est qu'à l'occasion d'un voyage en Californie que Lyse « découvre » que le comportement d'Alain n'est pas conforme à l'éthique professionnelle ; c'est à Montréal qu'elle rencontre un psychothérapeute qui ne soit ni partisan d'une telle pratique, ni associé professionnellement à de tels professionnels. Je ne connais pas bien la région de Québec et je ne suis pas en mesure d'évaluer s'il s'agit là, selon les mots d'Alice Miller, d'une autre « horreur » à dénoncer pour ce qu'elle est ?... ou d'une autre « vérité, si inconfortable soit-elle. » Personnellement, je suis persuadé que l'accumulation de données faite par Lyse Frenette est circonstanciée et qu'elle ne justifie pas un jugement sur l'ensemble des psychologues œuvrant dans cette région. Je suis moi-même de la profession ; j'ai l'avantage de connaître des dizaines de psychologues, à Québec comme ailleurs, qui ne tolèrent en aucune façon les comportements dénoncés dans ce livre. Mais quelle sera la réaction d'un public, souvent méfiant face à la profession de psychologue ; un pulic qui n'aura accès qu'aux données présentées par l'auteure, pour répondre à son besoin de parler et de dénoncer ? Ce public, il se fera une opinion à partir des faits suivants : d'une part on lui parle d'un code abstrait qui condamne les rapports sexuels entre psychothérapeutes et clientes et d'une Corporation distante dont le syndic ne semble pas pressé d'intervenir ; d'autre part, on lui présente un nombre impressionnant de professionnels qui semblent considérer que les rapports sexuels entre psychothérapeutes et clientes s'inscrivent dans la recherche d'une alternative au rapport homme-femme traditionnel. Je ne crois pas que la publication de ce livre aura pour effet de favoriser une utilisation plus saine des services professionnels qu'offrent les psychologues québécois. Ma prédiction est la suivante : certains lecteurs non avertis « jetteront le bébé avec l'eau du bain » en attribuant à l'ensemble des psychologues professionnels l'attitude que Lyse a observée dans une sous-culture mal

13

définie; d'autres qui ne seront pas en mesure d'évaluer le degré de vulnérabilité que peut vivre une cliente au cours d'une psychothérapie, mettront probablement en doute la crédibilité de l'auteure.

Yves St-Arnaud
psychologue

Katervale
24 octobre 1991

# Introduction

Ce livre est le récit d'une relation vécue il y a déjà quinze ans, alors que je n'étais ni psychologue, ni même encore étudiante en psychologie. Une relation vécue avec un psychologue qui, peu à peu, a transformé son rôle de psychothérapeute et son rôle d'aidant en celui d'amant.

Qu'arrive-t-il quand la personne à qui l'on demande de l'aide en dernier recours se transforme en amant? Qui est cette personne à qui l'on a fait confiance, à qui l'on a osé se révéler dans ses désespoirs les plus profonds?

Le rôle du thérapeute est de fournir une aide professionnelle, un endroit sécuritaire où le client peut s'exprimer librement. Le rôle du client est de parler de ses difficultés, de montrer ses blessures psychologiques. Ainsi, le premier connaît le second dans ses zones les plus intimes; le second ne connaît à peu près rien du premier.

Avec le bris de la relation thérapeuthique, c'est l'éclatement. C'est le saut. Le saut dans l'inconnu de l'autre. C'est la confusion totale dans les rôles, les responsabilités, les devoirs et les besoins de chacun des partenaires. Le nouveau psychologue-amant devient le modèle. Et à ce moment-là, tout est brisé: tout le travail thérapeutique amorcé vient d'être détruit. Non seulement les problèmes qui ont motivé la consultation demeurent, mais s'ajoutent d'autres difficultés qui, à une période de grande vulnérabilité, risquent de faire basculer. Basculer dans la confusion de rôles de chacun des partenaires, dans la culpabilité, dans le sentiment d'isolement et de vide, dans l'ambivalence entre l'amour du thérapeute et le désir de le supprimer, dans l'envahissement par des émotions très intenses, dans la difficulté de faire confiance, dans la confusion sexuelle, dans la rage réprimée, dans les difficultés d'attention et de concentration ainsi que dans les idées suicidaires.

Ces dix séquelles ont été identifiées lors de nombreuses études américaines effectuées auprès de femmes et d'hommes abusés sexuellement par leur thérapeute. Kenneth S. Pope (1988) en est venu à parler du «syndrome de la relation sexuelle thérapeute-client».

Mon témoignage montre comment se manifestent ces séquelles. Mon récit dénonce également une pratique malheureusement encore en vigueur chez les professionnels de la santé mentale. Il renferme aussi l'espoir qu'il est possible de se retrouver comme personne et de continuer à vivre à partir de ses propres valeurs.

## À qui s'adresse ce livre

Ce livre s'adresse tout d'abord à ceux et à celles qui ont vécu l'éclatement d'une relation thérapeutique, qui ont connu l'abus de pouvoir et le manque d'éthique d'un professionnel incompétent.

Ce livre s'adresse aussi à tous les professionnels qui font de la psychothérapie (psychologues et psychiatres), à ceux qui font de la relation d'aide (travailleurs sociaux, médecins, conseillers en orientation), à ceux qui, dans l'exercice de leur profession, sont amenés à rencontrer des gens en situation de vulnérabilité.

Enfin, ce livre s'adresse à tous ceux qui, à un moment de leur vie, sentiront le besoin de faire appel à un professionnel pour les aider à traverser une période difficile et à ceux qui désireront entreprendre une psychothérapie. Il se veut une mise en garde, ainsi que le fait le dépliant de l'American Psychological Association qui informe la population que les relations sexuelles sont dommageables à l'intérieur d'une relation thérapeutique. Comme le rapporte Marie Valiquette (1989): «les experts dans le domaine affirment que près de 25% des intervenants en santé mentale s'adonnent à de telles pratiques (Bouhoutsos et Schoener, 1989) et que 80% des thérapeutes ayant vécu un rapprochement sexuel avec un client répètent l'expérience par la suite (Holroyd et Brodsky, 1977)». Il s'agit donc d'une problématique de taille dans le domaine de l'intervention psychothérapeutique.

J'espère que ce livre pourra aider ceux qui ont été victimes d'abus sexuel à nommer ce qu'ils ont vécu, à reconnaître l'incompétence de ces professionnels et à les dénoncer d'une façon ou d'une autre. J'espère aussi que ce livre amènera les Corporations à être plus diligentes à traiter ce genre de plaintes et incitera les avocats à développer des expertises dans le domaine de l'inconduite sexuelle des professionnels. J'espère enfin que ce livre saura sensibiliser les professionnels de la santé à la nécessité de bien connaître leurs besoins, leurs limites, leur sexualité, leurs façons de séduire et leur pouvoir afin de mieux gérer le processus thérapeutique à l'intérieur de son cadre et de ses règles.

La réminiscence et la reconstitution de tous les événements racontés dans ce livre ont été rendues possibles par mes journaux personnels, dont la rédaction a commencé quelques mois après les rencontres de thérapie où ont eu lieu les premières relations sexuelles. Dans le but de faciliter la lecture de mon récit et de mieux faire saisir au lecteur ce que j'ai vécu, j'ai suivi les suggestions, formulées par certaines personnes qui ont lu mon manuscrit, d'intégrer récit et citations de mes journaux et de raconter le tout au présent. J'ai également rapporté les événements dans l'ordre chronologique, comme le demandait la Corporation professionnelle des psychologues du Québec pour les fins de l'enquête suite à ma plainte logée contre le psychologue.

# Chapitre 1

# Ce qui a précédé la relation

## Les trois premières rencontres

Août 1973. Je me sens excessivement nerveuse et tendue : mariée depuis quatre ans mais n'ayant pas exprimé mes insatisfactions au fur et à mesure, je vis de la confusion. Je ne sais par où commencer. Je n'arrive pas à m'affirmer. La colère m'étouffe. Je me sens prise au piège. Au piège du mariage. Je veux divorcer. Et je ne vois plus qu'une issue : partir. Partir à l'insu de tous.

Voyant mon état de tension, mon mari me propose de rencontrer un psychologue. J'accepte. J'ai besoin de dire à quelqu'un de neutre tout ce que je vis intérieurement. Mon mari me suggère alors de rencontrer le Dr Choinière et m'assure que ce dernier pourra me recevoir assez rapidement si je m'identifie. Ne connaissant aucun autre psychologue, je téléphone au Dr Choinière et j'obtiens effectivement un rendez-vous au cours de la semaine suivante à son bureau situé dans sa résidence de Cap-Rouge.

Lors de ma première rencontre avec le Dr Choinière, je suis surprise de son apparence physique : elle ne correspond pas du tout à l'image que je me suis faite de lui à partir des commentaires de mon mari.

Mon mari avait connu le Dr Choinière en 1969, à l'Université du Québec à Trois-Rivières. Il m'avait informée que ce psychologue revenait d'un séjour d'études en Europe. Mon mari semblait emballé par ce professeur qu'il décrivait comme débordant d'enthousiasme, à l'allure jeune et à l'esprit ouvert, ni particulièrement grand, ni tellement beau mais attirant par sa bonne humeur et sa chaleur. Et

21

voici que je rencontre un homme à l'allure sévère : il a une large chevelure grise ébouriffée, une longue barbe poivre et sel désordonnée et, entre les deux, un filet de visage camouflé par une épaisse monture de lunettes noire. Je le trouve froid et distant. Et c'est tant mieux ! Il n'y a aucun danger de me sentir attirée par lui, comme je l'ai été à quelques reprises par d'autres hommes. Et cette constatation me rassure. Je me sens en sécurité.

Je rencontre le Dr Choinière à trois reprises, dans le cadre d'entrevues psychothérapeutiques hebdomadaires d'une heure chacune. Et ces trois rencontres sont trois monologues d'une heure chacun.

En effet, je ne peux supporter plus longtemps de garder pour moi tout ce stress intérieur. J'ai besoin de parler. De me vider. Je raconte au Dr Choinière tout ce qui s'est passé depuis les vacances en Guadeloupe au mois de mars précédent : ma colère de réaliser que mon mari n'a pas tenu compte de mon désir de faire le voyage seule avec lui ; les avances d'un autre homme et l'illusion d'une vie plus stimulante avec ce dernier ; mes fébriles mais malhabiles tentatives pour communiquer à mon mari ce que je vis ; mon désir de divorcer, d'éviter l'enlisement d'une vie de couple stagnante ; mes démarches sans résultats pour me trouver à nouveau un emploi et, enfin, mon projet précis de partir. Tout y passe. Je donne même en détails au Dr Choinière le plan que je me propose de mettre à exécution à la fin du mois d'août : le plan de mon évasion.

Je veux partir. Six mois, un an : le temps que mon mari comprenne que je ne veux plus vivre avec lui ; le temps que les parents et les amis sachent qu'il n'y a rien à faire, que leurs pressions pour me garder avec mon mari sont tout à fait inutiles. Où aller ? Là où tout a commencé, en Guadeloupe. Une île française que mes lectures et mon voyage m'ont fait découvrir. Une île un peu familière où je sais pouvoir me trouver un travail pour subvenir à mes besoins.

Au cours de ces trois premières rencontres, j'ai l'impression de communiquer clairement au Dr Choinière à quel point je suis écœurée du genre de vie que je mène et à quel point je suis décidée à m'en sortir. Il m'écoute. Il ne dit pas un mot. J'ai de ce fait l'impression qu'il entend mon écœurement et ma détermination, qu'il comprend mon désir de partir et, comme il ne fait aucun commentaire sur ma façon d'agir, je suis convaincue qu'il approuve mon évasion.

À la fin de la dernière de ces trois rencontres, le Dr Choinière m'informe qu'au moment où, dans l'exécution de mon plan d'évasion, je serai à Montréal en route vers la Guadeloupe, il y sera, lui aussi, pour un congrès de psychologie. Il ajoute que, si j'ai besoin de lui, je pourrai le rejoindre à l'Hôtel Reine-Elizabeth où se tient le congrès.

Son offre m'étonne. M'étonne et me choque : comment peut-il penser que j'aurai besoin de lui? Mon voyage n'est-il pas minutieusement organisé? Doute-t-il de mes capacités?

L'idée que cette offre outrepasse les limites de la relation thérapeutique ne m'effleure pas l'esprit sur le coup. De retour à la maison, je me demande si cette offre de le rejoindre à l'hôtel n'est pas une invitation personnelle. Non! C'est impossible. Ce professeur d'université, réputé pour être un excellent thérapeute, ne peut avoir ce genre de dessein. Je lui prête sûrement des intentions : comment pourrait-il, lui qui connaît mon mari, me lancer ce genre d'invitation? Il doit plutôt s'agir d'un geste d'attention de sa part. D'ailleurs, ne m'a-t-il pas semblé froid et distant?

## Je m'évade en Guadeloupe

Je pars de Québec le 28 août 1973 et j'arrive en Guadeloupe le 29 août... sans éprouver le besoin, lors de mon passage à Montréal, de parler au Dr Choinière.

À mon arrivée en Guadeloupe, je trouve une chambre d'hôtel et je téléphone à ma sœur et à mes parents pour les rassurer et leur dire où je suis rendue.

Mon mari a déjà mis mon père au courant de mon départ et celui-ci l'a dit à ma mère et à ma sœur. Mi-inquiet, mi-choqué, mon père me demande où je suis et pourquoi j'ai fait cela. Il m'informe que mon mari veut que je lui téléphone ; je n'ai cependant pas envie de le faire le soir même.

Le lendemain, je me rends à l'Office du Tourisme afin de me trouver une maison de chambres. Et en soirée, après deux ou trois appels de mon père pour me dire à quel moment rejoindre mon mari, je cède à sa demande et téléphone à mon mari.

Je lui répète de vive voix ce que je crois lui avoir communiqué clairement par mon départ et mes quelques mots laissés sur la table : je ne veux plus continuer à vivre avec lui, je veux divorcer. Il me répond que ça ne peut pas se faire comme ça et qu'il me faut revenir à Québec, question de régler tous les papiers. Je le crois alors sincère et je suis convaincue qu'il a compris et qu'il accepte le divorce.

Croyant que mon but est atteint, dès le lendemain, je fais les démarches pour retourner à Québec afin d'aller régler mon divorce. Je quitte donc la Guadeloupe le 31 août.

Après une escale d'une nuit à Antigua, je dois prendre une correspondance pour New-York avant d'atteindre Montréal. Je fais le trajet Montréal-Québec en autobus. J'arrive à la gare en fin d'après-midi. Mon mari m'y attend. Sans dire un mot, il me conduit à notre chalet. Nous y attendent... mon père et ma mère. Je me rappelle soudain que nous sommes le 2 septembre, jour de l'anniversaire de ma mère. Mon mari a invité mes parents à souper à l'occasion de l'anniversaire de ma mère, le jour même de mon retour. Je ravale vite quelques larmes.

— Que voulez-vous boire?

— Quel soleil, quel temps magnifique !

— Les réparations du chalet avancent.

— Si je peux te donner un coup de main, gêne-toi pas.

— Bon anniversaire.

J'ai l'impression d'atterrir sur une autre planète. Je n'ai rien fait : je ne suis pas partie, je ne suis pas allée en Guadeloupe, je ne suis pas revenue. Je suis à notre chalet, avec mon mari, avec mon père qui offre de l'aide à mon mari et avec ma mère dont c'est l'anniversaire. J'ai dû rêver. Ça ne se peut pas. Tout ce branle-bas, tous ces préparatifs. C'est impossible. Je ne peux pas avoir fait tout ça pour rien. Je rêve. Mais non, Lyse, tu ne rêves pas. Tu sais bien qu'on ne pose pas de questions, qu'on ne parle pas de ce qui dérange. Tu as fait une coche mal taillée, tu as dérogé aux lois établies alors... Lui aussi le savait. Lui aussi savait qu'il n'y aurait pas de questions. C'est pour ça qu'il les a invités. C'est pour ça que ton mari a invité tes parents à souper à l'occasion de ton retour. Quelle ruse ! Quelle rage ! Quel silence !

## À bout de souffle

Le lendemain, mon mari me fait remarquer que je suis très tendue et mentionne qu'il va trouver quelque chose pour m'aider à me détendre. Le soir même, il m'apporte des pilules qu'il s'est fait prescrire par un médecin avec lequel il travaille.

Je sens effectivement que je suis très tendue : je suis envahie par la rage et par la peur. Je me sens traquée. Mon mari m'apprend qu'après mon départ il a téléphoné au Dr Choinière car il voulait savoir s'il y avait encore de l'espoir pour «sa» relation de couple ou si tout était bel et bien fini. Le Dr Choinière a répondu :

— Je n'en suis pas sûr, je ne peux me prononcer.

Je crois ce que me rapporte mon mari. Je suis sidérée. Moi qui pour la première fois ai exprimé aussi clairement ma ferme intention de divorcer, voilà que ce psychologue n'a rien compris. Je me retrouve ainsi encore plus seule qu'avant même de consulter le Dr Choinière.

Ma décision de divorcer demeure présente. Toutefois, les récents événements m'ont épuisée. Je suis à bout de souffle. Je ne me sens pas l'énergie pour discuter et essayer encore une fois de faire valoir mon point de vue. Je ne sais comment réduire la tension que j'éprouve dans tout mon corps. J'accepte donc les pilules que m'offre mon mari. Seule indication : il me faut les prendre pendant au moins deux mois pour obtenir un certain effet.

Je réalise assez rapidement que j'ai des trous de mémoire, ce qui me met mal à l'aise. Peu à peu, je perds toute envie de sortir et de rencontrer des gens. Plus rien ne peut m'affecter : je suis au neutre. J'occupe mes journées à transcrire le verbatim d'une quarantaine d'entrevues d'une heure chacune pour la thèse de doctorat de mon mari. Son offre de me payer avec une subvention qu'il doit éventuellement obtenir me motive à faire ce travail : avec cet argent, je pourrai à nouveau repartir.

Au début novembre, je diminue la médication puis je cesse de la prendre. Désireuse de me trouver un emploi le plus rapidement possible, je suis les conseils de mon beau-père et de mon mari ; je pose ma candidature pour un poste dans la fonction publique et j'obtiens un poste d'agent de bureau que j'occuperai en janvier 1974.

Le fait d'avoir un emploi me rassure. Je vais gagner de l'argent et je vais pouvoir divorcer. S'il le faut, je repartirai au loin. Toutefois, je dois taire mon intention, ne rien laisser paraître et même éliminer tout doute. Ainsi, à Noël 1973, pour montrer que je renonce à me séparer, je dépense en cadeaux pour mon mari le peu d'argent qu'il me reste en banque... en me disant que je pourrai à nouveau me ramasser de l'argent avec le travail qui commencera en janvier 1974. Tout le monde est content. La brebis égarée est revenue au bercail.

## La montée du virus

Janvier 1974. Je réalise assez rapidement que mon maigre salaire de 5200 dollars d'agent de bureau ne me permet pas de faire des économies. Je fais alors du temps supplémentaire. J'en fais le plus possible. J'accepte toutes les occasions de travailler et il n'est pas rare que je sorte du travail après 21 heures. Après un certain temps, je remarque que mes chevilles enflent; je constate aussi que j'ai parfois de la fièvre. Je n'y fais pas attention. Un soir de mai, à ma sortie du bureau à 23 heures, j'ai les jambes enflées et je me sens très fiévreuse. Mon mari décide alors de me reconduire à l'urgence d'un centre hospitalier et les médecins jugent bon de me garder sous observation. Je suis découragée.

Contre mon gré, je dois rester à l'hôpital. J'entends parler de problèmes cardiaques, d'arthrite rhumatoïde. Je passe une série d'examens et j'apprends que j'ai un virus. Comme il n'y a pas de cure pour le virus, je demande à sortir de l'hôpital. Après une semaine, je retourne chez moi.

Malgré les douleurs, je continue à vivre comme si de rien n'était. Je déménage au chalet pour les mois d'été et je recommence à travailler le plus tôt possible. Je ne veux pas reconnaître que je suis épuisée, que mon corps réagit à tout ce que je vis depuis plus d'un an.

De la fin mai à la mi-août, le virus monte graduellement des chevilles au milieu du dos. J'ai des douleurs musculaires. J'éprouve de la difficulté à marcher et à dormir. À la mi-août, épuisée par la souffrance et déprimée par mon état de santé, je demande à un spécialiste une médication assez forte pour enrayer le mal. En réaction à ce médicament, je fais une crise d'urticaire géant, je reçois une intraveineuse de phénergan et le virus disparaît sans que ni moi ni les médecins n'y comprenions quoi que ce soit. Mes douleurs, mon hospitalisation et mes inquiétudes ralentissent mes projets: je mets aux oubliettes mon intention de divorcer.

Et la vie reprend son cours habituel.

En février 1975, mon mari et moi partons seuls de Québec pour un voyage en Californie. En voyage, j'ai peu à peu l'impression de me retrouver, à peu de choses près, dans la même situation que j'ai vécue deux ans auparavant en Guadeloupe: mon mari manifeste constamment le désir de s'entourer de gens, de se retrouver en «gang». Encore une fois, j'observe qu'il essaie de toutes sortes de façons d'éviter de se retrouver seul à seul avec moi. A-t-il peur de moi? Je n'en sais rien. Je crois plutôt que je ne suis pas assez intéressante et qu'il s'ennuie en ma compagnie.

À nouveau je reçois les avances d'un homme et je me sens aussi vulnérable que deux ans auparavant. J'ai le même désir de me sentir davantage aimée, d'avoir une vie plus stimulante. Et tout ça me fait terriblement peur. Je ne me sens pas la force de revivre ce que j'ai vécu il y a deux ans. Je suis très prudente et je tais ce que je vis. À notre retour à Québec nous attendent parents et amis pour une soirée en l'honneur de notre retour.

Le lendemain, je retourne au travail et je passe un concours en vue d'un avancement dans la fonction publique. Tracassée par ce que j'ai vécu lors du voyage, fatiguée en raison du décalage horaire et de la soirée pour fêter notre retour, je suis incapable de concentration. Je ne comprends rien à ce qui m'arrive: je suis incapable de lire le texte puis de répondre aux questions. Je suis prise de panique. J'ai l'impression de faire un cauchemar: j'écris, j'efface, je relis le texte, j'écris à nouveau puis j'efface à nouveau.

C'est un fiasco. Je n'ai évidemment pas l'avancement souhaité. Je me dis: «Si c'est comme ça, je ne pourrai jamais avoir d'avancement par voie de concours; je ne me vois pas agente de bureau jusqu'à ma retraite; il va falloir que je procède d'une autre façon.» Après réflexion, je décide de m'inscrire à l'Université Laval à un baccalauréat général en sociologie, relations publiques et, éventuellement, communications ou relations industrielles.

## La volonté de divorcer

Mon premier trimestre est une révélation: j'obtiens d'excellents résultats. Je n'en reviens pas, je suis très surprise. Je découvre quelque chose que j'ignorais jusque-là; je réalise que je peux «réussir».

Cette prise de conscience a pour effet de m'ouvrir les yeux sur des réalités que, jusque-là, je me refusais à regarder. Ainsi, je cesse de croire aveuglément tout ce que me dit mon mari: j'ai l'occasion de constater que ses observations sur les gens ne sont pas toujours justes, que je suis assez attirante pour recevoir des avances d'autres hommes et assez intéressante pour avoir des discussions avec eux. J'observe. Je commence à m'interroger: «Se peut-il que...? Se peut-il que je sois mariée à un homme tout à fait différent de celui que j'ai imaginé?»

J'ai les yeux suffisamment ouverts pour réaliser de plus en plus quel est cet homme que j'ai marié en 1969. Et, cette fois, je réalise que si je ne veux pas être engloutie, je dois cesser de vivre avec cet homme. Autant ma décision est claire, autant toutes les démarches à entreprendre me paraissent épouvantables. J'ai déjà tenté de divorcer, en 1973, et j'ai été ramenée à l'ordre. Je sens que je ne peux me permettre un autre échec. Je dois «réussir». C'est ma dernière chance. Cette fois-ci, je me sens plus sûre de moi: je suis seule mais je sais que je peux «réussir» un projet. N'ai-je pas réussi à avoir ce que je n'avais jamais imaginé obtenir: des notes presque parfaites dans un premier trimestre universitaire, à l'âge de 30 ans? Je décide de parler de mes intentions de divorcer au premier concerné, mon mari.

Je veux nous donner des conditions propices à la discussion et à l'expression de nos réactions. Je veux que nous soyons en terrain neutre, loin de la maison, des parents et des amis. Il s'agit d'une discussion de couple et je ne veux pas que d'autres personnes puissent intervenir. Je propose donc à mon mari de prendre quelques jours de vacances ensemble à l'extérieur, en juillet. Mais à nouveau, il s'organise pour ne pas se retrouver seul à seul avec moi: en juillet 1976, nous allons faire du camping sur le terrain du chalet d'un couple d'amis, au lac Témiscouata. Je décide alors de ne pas changer mes projets et de lui parler de mes intentions.

Seule avec lui sous la tente, tard le soir jusqu'à tôt le matin, je lui parle de mon insatisfaction à vivre avec lui et de ma décision très ferme de divorcer. Il semble surpris de voir ressurgir ce sujet: il trouve au contraire notre relation très satisfaisante. Je lui dis que je trouverais notre relation satisfaisante si j'étais dans une relation d'affaires avec lui, mais pas dans une relation amoureuse. Très rapidement, j'ai l'impression que toutes mes conversations à ce sujet l'achalent et le tannent. J'ai l'impression qu'il me dit: «Quand est-ce que tu vas arrêter de me parler de tout ça, quand est-ce que tu vas finir de te plaindre?» Je réalise que je parle dans le vide, qu'il ne veut pas entendre parler de divorce. Je constate que je me cogne le nez à un mur. Je suis déçue et découragée.

À notre retour à Québec, il me fait remarquer que j'ai l'air déprimée. À nouveau, il me suggère de prendre des médicaments: des antidépresseurs, cette fois. Comme je me sens réellement déprimée, j'accorde foi à ses paroles et, à nouveau, j'accepte ses pilules. À la différence que cette fois-ci, je ne les prends que quelques jours seulement. Je décide du jour au lendemain d'arrêter cette médication: ma vue se dédouble et tout ce que je mange goûte le fumier. Je prends alors conscience que je ne suis pas aussi sûre de moi, pas aussi forte que je le croyais. Je réalise encore une fois que je n'ai personne à qui parler de mon intention de divorcer, que je n'ai personne pour me soutenir dans mes démarches. Je suis seule. Trop seule. Je sens que je ne pourrai jamais m'en sortir si je ne vais pas chercher de l'aide auprès d'une personne neutre. C'est à ce moment-là que je décide de rencontrer à nouveau le Dr Choinière. Mais puisque je suis mariée et qu'il est de convenances de ne rien cacher à son mari, j'annonce ma décision à mon mari.

## J'appelle à l'aide

Je téléphone au Dr Choinière et je lui demande s'il peut me recevoir en consultation. Il accepte et m'offre un rendez-vous pour la semaine suivante. Je suis soulagée: le Dr Choinière accepte de me rencontrer à nouveau. Et ce, en dépit du fait que je ne lui ai donné aucune nouvelle depuis trois ans. Je suis décidée à prendre le temps qu'il faudra pour sortir de cette relation de couple. Rien ne presse : il n'y a aucun autre homme dans ma vie et, par bonheur, il y a une grève à l'Université Laval. Je peux ainsi disposer de tout mon temps pour faire le point et décider de quelle façon je procéderai et m'organiserai par la suite.

Je rencontre donc le Dr Choinière à son nouveau bureau situé dans sa résidence de Sainte-Foy. J'ai de la difficulté à le reconnaître ; sa vigoureuse poignée de main et sa chaleureuse accolade me surprennent et, en même temps, me font du bien. Il a tellement changé physiquement que je ne cesse de le regarder tout en essayant de l'imaginer tel que je l'ai connu. Ses cheveux blancs sont maintenant courts et légèrement frisés ; il n'a plus de barbe. Il a remplacé son épaisse monture de lunettes noire par une légère monture qui dégage son visage et laisse paraître des yeux rieurs d'un brun vif. J'ai l'impression de retrouver le professeur dont m'a parlé mon mari. Sa vivacité, son enthousiasme et sa gaieté m'apportent un brin de fraîcheur et de vie.

Lors de cette première entrevue, ni le Dr Choinière ni moi ne parlons de ce qui s'est passé il y a trois ans : mes trois rencontres avec lui, mon aller-retour en Guadeloupe, sa conversation téléphonique avec mon mari. Je ne suis pas à l'aise d'aborder ces événements. En fait, j'ai surtout peur qu'en lui parlant de la déception que j'ai éprouvée face à ce qu'il a dit à mon mari, il ne veuille plus me donner de rendez-vous. Et il est la seule personne que je connaisse qui puisse encore m'aider. Le Dr Choinière, selon ses habitudes, ne me pose aucune question. J'en éprouve d'ailleurs un soulagement énorme. Je me limite à lui dire que je ne suis pas bien dans ma relation de couple, que je songe sérieusement à divorcer mais que je veux prendre le temps de lui en parler car j'ai très peur.

Au cours des premières entrevues, je lui communique que je me sens étouffée dans le genre de vie que je mène : j'ai l'impression de passer à côté de ma vie, de ne pas être moi, de ne pas pouvoir vivre en accord avec ce que je pense, ce que je crois et ce que je considère important. J'ajoute que j'ai l'intention de lui parler de tout ce que je garde pour moi depuis des années et que si je m'aperçois que je ne peux pas vivre comme je l'entends, alors je considérerai que la vie ne vaut pas la peine d'être vécue.

Le Dr Choinière ne me demande pas ce que je veux dire. S'il le faisait, je lui dirais que ma démarche constitue ma dernière chance, qu'il est ma dernière et unique ressource. Si je n'arrive pas à vivre à partir de ce que je suis, j'ai l'intention de mettre fin à mes jours, je suis décidée à me suicider. J'interprète son silence comme un signe de sa compréhension de mon message.

J'ose dire pour la première fois de ma vie tout ce que j'ai sur le cœur: mon mépris pour la religion, le mariage et la famille. J'éprouve du soulagement à dire sans retenue tout ce qui me passe par la tête. Alors que j'ai toujours été habituée à tout garder pour moi, je dénonce maintenant sans pudeur ce que je trouve ridicule, ce qui sonne faux et me tue à petit feu dans ma vie de couple, dans ma famille et dans ma belle-famille. Je dis au Dr Choinière que j'en ai marre de ce genre de vie plate et morne, où tout est réglé selon des conventions qui ne cadrent pas avec moi. Et j'ajoute que j'entends bien faire autre chose de ma vie. Mais quoi? Ce n'est pas clair. Toutefois ce dont je suis certaine, c'est de vouloir sortir de ce pétrin où je m'enlise.

Le Dr Choinière écoute ce que je lui dis. Il ne dit rien: il ne fait aucun commentaire, il ne pose aucune question. Pour la première fois de ma vie j'ai l'impression d'être entendue, d'être acceptée dans ce que je suis. Son absence de commentaires et de questions me laisse supposer qu'il ne me trouve pas ridicule, qu'il ne me juge pas, qu'il approuve en quelque sorte ce que je dis. Il me semble que je commence peu à peu à avoir un espace pour vivre. L'espoir d'arriver un jour à être moi-même est là, naissant. Mais je dois tout d'abord «m'affranchir».

La seule pensée de toutes les démarches à faire pour divorcer m'angoisse. Je dois affronter un mari, des parents et des ami(e)s qui ne sont pas d'accord avec ma décision. J'ai manqué mon coup une première fois; cette fois-ci, je dois réussir. Je ne me sens plus l'énergie pour faire ce que j'ai fait pendant ces dernières années: céder aux pressions de mon entourage et continuer ma petite vie plate, rentrer dans le rang et marcher au pas. Non! Je mourrais étouffée.

J'ai peur. Je sais que mon mari ne veut pas divorcer. Comment va-t-il réagir? Et mon père? Je sais qu'il est contre mon divorce: lors de ma première tentative, il a essayé de me faire la morale. Je me demande jusqu'où il ira cette fois. Je sais que ma mère sera d'accord, car elle n'aime pas mon mari. Ce n'est toutefois pas ce genre de support que je cherche ; j'ai plutôt besoin de quelqu'un qui accepte tout simplement ma décision sans prendre parti. Ma sœur pourra sans doute m'apporter cette aide, mais elle vit à quelque 700 milles de Québec, en Ontario. En définitive, il n'y a que le Dr Choinière qui connaît mes intentions, qui accepte ma décision de façon impartiale et à qui je peux en parler régulièrement.

Je trouve très apaisantes mes entrevues avec le Dr Choinière : ses chaleureuses accolades au début et à la fin de chaque entrevue m'apportent un peu de réconfort et me laissent entrevoir une tendresse inconnue. Je me sens de plus en plus en confiance avec lui. Je commence peu à peu à lui parler de ce que je vis au cours des semaines.

Ainsi, au début de novembre, je lui exprime ma crainte de devenir enceinte de mon mari ; je lui dis qu'en dépit du fait que je ne sois pas devenue enceinte au cours des six ans où je n'ai pris aucun moyen anticonceptionnel, j'ai souvent entendu parler de femmes qui devenaient enceintes au moment de divorcer. Le Dr Choinière me fait alors prendre conscience que c'est moi qui suis maître de mon corps. Je décide donc de prendre des anovulants et ce, sans en parler à mon mari. Vers la mi-décembre, au fur et à mesure que ma décision de divorcer se précise, je suis de plus en plus préoccupée par l'approche de la période des Fêtes. J'en parle au Dr Choinière. Je décide de reporter l'annonce de ma décision de divorcer au début de janvier 1977.

Le silence est lourd à porter : le Dr Alain Choinière est mon seul confident. Toutefois, ce silence commence à être plus supportable : Alain Choinière m'a confié qu'il m'aime.

# Chapitre 2

# L'intimité sexuelle

## L'aveu

Au début de décembre 1976, alors que je suis dans la salle d'attente du Dr Alain Choinière, j'aperçois une porte, habituellement fermée, aujourd'hui ouverte. J'avance et, étonnée, j'entrevois la chambre du Dr Choinière. D'un regard rapide je fais le tour de la pièce. Tout est en ordre, le lit est fait, le couvre-lit est tiré. Mes yeux s'arrêtent sur le lit. Je sens monter en moi une tristesse : comme il serait bon d'être serrée dans ses bras, d'être caressée par lui... Non ! Il n'en est pas question. Rapidement, je détourne la tête pour chasser ce désir qui apparaît. Je fais quelques pas pour m'éloigner du seuil de la chambre et, figée, je reste debout devant la porte du petit balcon attenant à la salle d'attente. Je n'ose plus regarder de côté de peur d'être envahie par ce désir et de peur que le Dr Choinière ne me surprenne à regarder dans la direction de sa chambre. Bouleversée et paralysée, j'attends ce jour-là que le Dr Choinière vienne me chercher dans la salle d'attente.

J'entends soudain ses pas. Je ne me détourne pas. Le Dr Choinière arrive par derrière et met sa main sur mon épaule. Je me retiens pour ne pas fondre en larmes et tomber dans ses bras. Non ! Je ne veux pas faire ça. Je n'ai jamais fait ça. Ce serait faible et lâche de ma part d'agir ainsi. Je me saisis, je me retourne et je marche vers la pièce de thérapie.

Je m'assois sur un serpentin et je ne dis pas un mot. Je me sens envahie, paralysée par ce désir intense que sa main sur mon épaule a ravivé. Après un certain temps, le Dr Choinière brise le silence :

— Qu'est-ce qui se passe ?

Avec hésitation, je lui réponds :

— Je me sens figée, j'ai juste envie de te serrer.

Je suis fâchée. Fâchée contre moi. Et j'ajoute :

— Je sais ce qui se passe, c'est quelque chose qui arrive souvent en thérapie. J'ai entendu parler de femmes qui tombent en amour avec leur thérapeute et ça s'appelle du transfert.

Le Dr Choinière ne dit pas un mot.

Après quelque temps, voyant qu'il ne parle pas je continue :

— Je suis en maudit de vivre ça. Donne-moi deux ou trois semaines et tu vas voir que ça va se passer.

Le Dr Choinière ne dit rien. Il ne revient pas sur ce que j'ai dit, il ne fait aucun commentaire. Il garde le silence. Honteuse d'avoir parlé de la sorte et mal à l'aise devant ce silence, j'enchaîne alors avec ce qui s'est passé au cours de la semaine.

J'ai une vague idée de ce qu'est le transfert. J'ai entendu dire qu'au cours d'une psychothérapie il arrive parfois que des clientes deviennent amoureuses de leur psychothérapeute. Je méprise ces femmes qui tombent en amour avec un homme pour la simple raison qu'il les écoute. Je les trouve ridicules. Et voilà que je tomberais dans ce piège moi aussi ? Non ! Je ne veux pas ! Je suis choquée. Je suis déterminée à ne pas vivre de transfert.

Lors de la rencontre suivante, je ne dis pas un mot sur ce sujet. J'ai l'impression qu'en taisant ce que je ressens, tout va rentrer dans l'ordre. De plus, je sais que le transfert est une situation sans issue : le psychothérapeute, lui, ne tombe pas en amour avec ses clientes. Je ne veux pas vivre cette situation humiliante où j'aime et où je ne suis pas aimée.

Au fil des jours, je me sens de plus en plus tiraillée, de plus en plus tendue. J'ai envie de me jeter dans les bras de mon psychothérapeute. J'ai le goût de le serrer, de l'embrasser. Il n'y a plus rien d'autre d'important. Ne pouvant plus contenir ce désir, déçue et découragée, je lui avoue, la semaine suivante, ce que je vis. Assise sur le serpentin, face à lui, je lui dis :

— Je pense que je t'aime.

Lui, assis sur un coussin près de la porte, me répond d'un air sérieux :

— Mais moi aussi je t'aime !

Je le regarde intensément dans les yeux, sans dire un mot, sans faire un geste. J'ai l'impression qu'il me remet un gros paquet entre les mains et que je reste là à le regarder, ne sachant pas quoi faire de ce paquet. Je suis bouche bée. Je suis déconcertée, je ne comprends plus rien. Je m'attendais à tout, sauf à ce qu'il me dise qu'il m'aime. Je me dis : « Est-ce que ça se peut ? Et s'il y avait des exceptions ? Ce n'est pas impossible, après tout, que dans des cas très particuliers le psychothérapeute tombe en amour avec une cliente. »

Nous restons l'un en face de l'autre sans bouger, sans dire un mot. La rencontre est terminée. Nous nous levons. L'habituelle accolade prend ce jour-là, pour moi, une tout autre signification. Je sors du bureau du Dr Choinière avec l'assurance qu'Alain m'aime, que l'homme derrière la psychothérapeute est vraiment « en amour avec moi ».

## La confusion

« Alain est en amour avec moi. » Cette pensée m'aide, d'une certaine façon, à passer la période des Fêtes. Quand je deviens trop tendue, je me réfugie dans mon monde de rêves où je nous imagine, Alain et moi, dans toutes sortes de situations. J'ai carte blanche puisque j'ai appris de mon mari qu'Alain est divorcé depuis l'été 1973. Par contre, la possibilité de vivre avec lui soulève beaucoup d'interrogations : Comment se fera la transition ? Quelle sera la réaction de mon mari ? Est-ce que j'irai vivre chez Alain ? Quand et pour combien de temps ? Sera-t-il préférable d'attendre que le divorce soit prononcé ? Va-t-il m'aider ou s'attend-il à ce que je fasse mes démarches seule ?

J'imagine parfois que tout s'arrangera sans trop de difficulté comme dans l'opéra « Les Pêcheurs de perles » de Bizet : Zurga, ami de Nadir, consent au départ de son ami avec la femme qu'ils aiment tous les deux, Leïla. Leïla et Nadir, c'est moi et Alain réunis avec le consentement de mon mari. En guise de symbole, je baptise mes deux perruches reçues en cadeau de Noël, Leïla et Nadir. À d'autres moments, les difficultés refont surface et s'entassent dans ma tête ; je me sens alors tellement tendue que j'ai l'impression que la peau de mes bras va éclater. Je réussis à me procurer des Valium .5 et j'en prends une ou deux par jour.

Une fois le Jour de l'An passé, mon mari me dit qu'il veut se réserver quelques jours de congé pour faire du ski avec moi. Je lui dis qu'il peut le faire s'il en a envie mais que je n'ai pas le goût d'aller skier avec lui. Il décide alors de faire du ski avec un ami. Je commence à prendre mes distances. Je veux m'éloigner de lui et divorcer.

À l'Université Laval, mes cours vont bientôt recommencer. Je veux réussir mon trimestre et je considère important de me donner des conditions pour étudier. Me donner des conditions signifie pour moi cesser de cohabiter physiquement avec mon mari alors que je cohabite déjà mentalement avec Alain. En effet, j'ai beaucoup de mal à supporter la présence de mon mari : c'est Alain que je voudrais voir à sa place. Je trouve cette tension insoutenable et je me sens incapable d'étudier dans de telles conditions.

Je considère que je dois agir et que je dois agir rapidement. Je demande donc à Alain deux consultations par semaine. Je crois que le fait d'avoir deux rencontres par semaine va me permettre de divorcer plus rapidement et plus facilement. Je n'ignore pas que le fait d'avoir deux rencontres par semaine va aussi me donner l'occasion de voir Alain plus souvent. Toutefois, comme Alain accepte d'emblée ma demande, comme il ne me pose aucune question sur les motifs qui m'incitent à le rencontrer deux fois par semaine, je lui dis tout simplement que je veux divorcer mais que cette décision m'angoisse encore beaucoup. Je suis soulagée qu'il ne me demande pas plus de détails et j'ai l'impression que son silence est une forme de complicité : comme il m'aime, il est content lui aussi de pouvoir me rencontrer deux fois par semaine. Il y a entre nous une entente tacite qui nous permet de continuer les rencontres comme si rien n'était changé, comme s'il n'y avait pas eu d'échanges de «je t'aime».

## Je décide de déménager

Au cours du mois de janvier 1977, je répète à nouveau à mon mari que je veux mettre fin à notre relation de couple. Il me demande ce qui se passe en thérapie et parle d'avoir des consultations de couple avec Alain Choinière. Je m'y oppose et lui suggère d'aller consulter un autre thérapeute que le mien.

À quelques reprises, mon mari me laisse entendre que s'il y a divorce, ce sera officiellement lui qui fera la demande et ce sera moi qui serai accusée d'adultère. Je m'en fous. Un soir, il me menace de partir avec presque tout le mobilier. Je suis d'accord pour qu'il apporte plusieurs meubles; mais comme j'ai aussi investi de l'argent dans nos biens, je lui impose certaines limites.

À la fin du mois, réalisant que toutes les demandes de mon mari ne sont que des moyens détournés pour essayer de me faire changer d'idée et que je devrai attendre longtemps avant qu'il accepte de quitter les lieux, je décide de me chercher un endroit où habiter.

Au cours du mois de janvier 1977, ni Alain ni moi ne parlons de nos sentiments réciproques: je ne reviens pas sur ce que je lui ai dit en décembre et lui ne fait aucune allusion à nos échanges. Lors d'une entrevue, je mentionne à Alain que mon mari a demandé d'avoir des consultations de couple avec lui; avant même qu'il ne se prononce, j'ajoute que je me suis opposée à la demande de mon mari. Alain fait un signe de tête approbatif et dit: «De toutes façons, je n'aurais pas pu.» Je ne sais pas trop pourquoi il n'aurait pas pu, mais je n'ose pas lui poser la question. Lui n'explicite pas ses raisons. À la fin du mois, j'informe Alain que j'ai trouvé une chambre dans une maison de la rue Laviolette, tout près de chez lui. Il ne dit pas un mot. Qui ne dit mot consent: les silences d'Alain continuent d'alimenter ma conviction qu'il est en amour avec moi.

Assurée que ma décision d'aller vivre ailleurs incitera mon mari à entreprendre la procédure de divorce, j'avertis Alain que je me sens capable de continuer toute seule la démarche du divorce et que, conséquemment, je vais cesser mes rencontres avec lui. Alain ne fait aucun commentaire. Je comprends qu'il est d'accord avec ma décision, qu'il juge que je vais être capable de continuer toute seule. En fait, moi je cherche à me débrouiller toute seule le plus vite possible car j'ai nettement l'impression qu'aussitôt que je cesserai d'avoir recours à ses services professionnels, nous pourrons nous rencontrer dans un autre genre de relation où il sera possible de parler de notre amour l'un pour l'autre. Je cesse donc mes entrevues hebdomadaires avec Alain en me disant qu'il va probablement me faire signe à un moment donné, une fois que mon divorce sera prononcé.

Au début de février, j'annonce à mon mari mon intention d'aller vivre ailleurs. Surpris il me dit :

— Comment ? Ce n'est pas fini cette affaire-là ?

— Ce n'est pas parce que tu ne veux pas en entendre parler que c'est fini. Il n'est pas question pour moi d'étudier dans ces conditions-là et je vais déménager très bientôt.

Le soir même, je dois lui répéter la même chose... en présence de mon père. Mon mari est allé chercher du support auprès de mon père, s'imaginant que ce dernier réussira encore une fois à me faire changer d'idée. À ce moment-là, pour leur montrer le sérieux de mes intentions, je leur donne des détails : je vais déménager en fin de semaine, chez une enseignante vivant avec sa jeune fille, sur la rue Laviolette. Je suis imperturbable. Mon père le réalise car il m'offre d'aller passer deux semaines à la maison, le temps que ma mère revienne d'un voyage à la Martinique. J'accepte son offre et déménage le premier lundi de février 1977. Le lendemain, je vais annuler mon entente avec l'enseignante.

## Je retourne chez mes parents

Au cours des deux semaines que je passe avec mon père, j'ai au moins trois bonnes engueulades. Mon père, n'étant pas d'accord avec le fait qu'une femme demande le divorce (encore moins sa propre fille), essaie de me faire comprendre, à coups d'arguments et d'exemples tirés de son vécu et de celui des autres, que je n'ai aucune raison de vouloir divorcer :

— Tu as un bon mari qui t'aime et s'occupe de toi, qui gagne honorablement sa vie et te fait bien vivre. Dans un mariage, il y a des périodes difficiles : c'est normal d'avoir des problèmes mais il ne faut pas songer au divorce pour ça. S'il fallait que tous les gens qui ont des problèmes divorcent !

J'ai beau essayer de lui faire comprendre que je ne me sens pas aimée, que mon mari s'organise toujours pour éviter de se retrouver seul avec moi, que je meurs à petit feu dans la « vie de galeries et de façades » que nous menons, rien ne réussit à le convaincre. Mon père finit par se fâcher et par pleurer. Mais il me voit très ferme. Moi je me sens très seule.

Après une de ces engueulades, un samedi soir où mon père se prépare à aller passer la soirée chez des amis, je me sens tellement seule et désespérée que j'éprouve le besoin de parler à quelqu'un. À qui puis-je parler sinon à Alain. J'ai son numéro de téléphone à sa résidence à l'extérieur de la ville : lors de la dernière rencontre, à la fin de janvier, Alain m'a laissé son numéro de téléphone à sa résidence de Shawinigan au cas où j'aurais besoin d'entrer en contact avec lui. Je sais qu'il passe la plupart de ses fins de semaine dans cette ville, car son ex-femme et ses enfants y habitent. Je prends donc mon courage à deux mains et je compose son numéro. Une femme me répond. J'hésite un peu et je demande à parler à Alain. La femme me répond qu'il n'est pas là, mais qu'il doit revenir très bientôt. J'ose laisser mon nom, le numéro de téléphone de mes parents et le message de me rappeler. Alain me rappelle dans l'heure qui suit. Je suis très brève ; je lui dis que je trouve ça difficile, que je me sens très seule et que ça me fait du bien de l'entendre. Il ne fait que répéter ce que je lui dis mais, après son téléphone, je me sens plus calme et je passe la soirée seule, sans faire d'angoisse.

Pendant ces deux semaines où j'habite seule avec mon père, je dois retourner à quelques reprises à mon appartement pour aller chercher des effets personnels. J'ai une peur terrible. J'ai peur d'une coalition. J'ai peur que mon mari soit à l'appartement, que mon père s'organise avec lui et que, à eux deux, ils m'obligent à y rester plutôt que de retourner vivre chez mes parents. La première fois où j'y vais, mon mari n'y est pas. J'ai tellement peur qu'il arrive avant que je termine, que je me dépêche à sortir mon linge en le passant à mon père qui, lui, va le porter à l'auto pendant que moi je retourne en chercher d'autre. À un moment donné, en lui donnant du linge, je réalise que mes mains tremblent énormément. Jamais je n'ai connu ça et je suis surprise.

Au retour de voyage de ma mère, mon père me demande de retourner à l'appartement avec mon mari dans l'espoir que nous puissions arriver à nous parler calmement. Au souper, mon mari commence à me poser des questions et à faire des insinuations sur ce qui peut se passer avec Choinière. Il réussit à me piquer au vif ;

je me choque et lui dis sur un ton assez virulent que c'est moi qui suis allée en psychothérapie mais que c'est lui qui en a grandement besoin et qu'il est temps qu'il consulte. Ce sur quoi je me lève, je vais chercher mon manteau et je pars en claquant la porte.

Afin que mon mari ne puisse pas me rattraper, je prends la première rue à droite; je marche vers Sainte-Foy, en évitant les artères principales. Je suis découragée, je ne vois plus d'issue. Je ne veux plus continuer à vivre avec mon mari, mais je ne sais pas où aller. Je passe près de la résidence d'Alain et je vois de la lumière dans la pièce de thérapie. Je comprends qu'il n'est pas disponible. Je me dis que ça n'a pas de sens de me présenter chez lui en larmes, sans l'avoir prévenu. Je rebrousse chemin. Je marche vers Québec. Près du Complexe G, je prends le boulevard St-Cyrille. J'ai l'idée de me jeter en bas de la route pendant qu'une auto passe. Il fait maintenant sombre et je suis convaincue que le mur est suffisamment haut pour réussir à me tuer. Je sens cette idée s'installer en moi, devenir très présente et m'envahir. À un moment donné j'ai peur et je décide d'entrer à Place Québec. Je me rends aux toilettes et je me regarde dans le miroir. Je me vois et je me parle intérieurement. Je me dis qu'il ne faut pas me décourager ainsi, que je vais trouver une façon de m'en sortir, qu'il y a tout de même Alain. Je reste là quelques instants, seule devant le miroir. Puis je sors et je décide de retourner lentement, à pied, chez moi. Je me sens maintenant très calme.

Quand j'arrive à l'appartement, mon père est avec mon mari dans la cuisine. Je les trouve en désarroi. J'apprends que mon mari a effectivement tenté de me rejoindre en auto, sans succès. Il est alors revenu et a téléphoné à mon père, à un couple d'amis et à Alain. Il a cru que j'irais me réfugier à l'un de ces endroits et, ne m'y trouvant pas, il a pensé que j'avais eu l'idée de me suicider. Mon père aussi y a peut-être pensé car, sans plus de commentaires, il me prend la main et d'un ton décidé il me dit:

— Va chercher tes bagages, tu t'en viens avec moi à la maison.

Ce que je fais.

À mon arrivée, ma mère, qui n'est encore au courant de rien, semble un peu étonnée. Je lui dis que ça ne va plus entre moi et mon mari et que je vais vivre ici quelque temps.

# Je poursuis mes études

Le lendemain et les jours qui suivent, il n'est pas tellement question avec mes parents de ce que je vis. Je suis d'abord préoccupée par mes études : je dois réussir mes deux trimestres universitaires. Il le faut, d'autant plus que je devrai me trouver un emploi pour me faire vivre. Je dois donc me donner des conditions pour pouvoir étudier. Je conviens avec mes parents que je déjeunerai avec eux tôt le matin, que je partirai étudier et suivre mes cours à l'Université et que je reviendrai sur l'heure du souper. Le soir, j'étudierai à la maison.

Le jour, j'étudie à la bibliothèque du premier cycle et je parle un peu avec quelques étudiantes de mes cours. C'est à cette occasion que, pour la première fois, je laisse entrevoir à une étudiante la tension que je vis à vouloir divorcer sans appui aucun. Sa réaction m'étonne : elle me dit qu'elle trouve ça épouvantable et se demande comment je peux supporter tout ce stress. Il me semble tellement ordinaire de vivre ainsi que j'ai l'impression de me plaindre pour rien, d'exagérer ce que je vis. J'ai d'ailleurs l'impression que, en en parlant, je vais perdre l'énergie qu'il me faut pour passer à travers ce que je vis. Je crois qu'il ne faut surtout pas que je réalise que je vis une période de tensions extrêmes, car alors je n'aurai peut-être plus la force de lutter.

Pendant mes moments d'études, je me surprends souvent à calculer : une colonne pour l'argent et une autre pour les crédits universitaires. À force de calculer, il me vient deux «brillantes» idées : récupérer le fonds de pension de mon emploi au gouvernement et compléter ma troisième mineure en faisant reconnaître le maximum de crédits de mon baccalauréat en musique, de sorte qu'il ne me restera que quelques cours à suivre à l'été et à l'automne pour terminer un diplôme de premier cycle. Après plusieurs démarches en ce sens, je réussis à obtenir l'un et l'autre.

Tout mon temps se passe à étudier. J'ai de la difficulté à me concentrer et je dois souvent recommencer mes lectures. J'essaie de m'enfermer, de me cloisonner pour ne pas me laisser distraire par ce qui se passe en dehors de mes études.

Les seuls contacts que j'accepte d'avoir avec mon mari sont des conversations téléphoniques. Parfois il pleure, parfois il me supplie de revenir, parfois il me fait des menaces de suicide. Je trouve ça pénible. Je me sens coupable. Jusqu'au jour où je réalise que je dois choisir entre lui et moi. Et je «me» choisis. Je choisis de me donner des conditions pour vivre... avec la conséquence possible (mais non certaine) qu'il se suicide. Je fais donc des arrangements avec lui: aussitôt que la température le permettra, il ira s'installer au chalet et je retournerai à l'appartement.

## Je reprends les entrevues

Vers la fin de février, je téléphone à Alain pour lui dire que je trouve très difficile de vivre seule cette situation. Je prends le risque de lui demander s'il est possible d'avoir d'autres entrevues avec lui. À ma grande surprise, il accepte. Encore une fois, il ne fait aucun commentaire et ne me pose aucune question.

Je croyais qu'Alain n'accepterait plus de me revoir en entrevue puisque nous nous aimions et que nous nous l'étions dit. J'imaginais qu'il attendait que j'aie fini de régler mon divorce pour me revoir en dehors du contexte thérapeutique. Je suis très étonnée qu'il accepte et, sans prendre le risque de clarifier la situation de peur qu'il change d'idée, je conviens avec lui de le voir dans la même semaine, mardi à 16 heures. Le retour de mon fonds de pension me permettra de payer mes entrevues.

Lors de la reprise de mes entrevues hebdomadaires de thérapie avec Alain, je vis toutefois des événements qui viennent ébranler ma croyance qu'il m'aime. Ainsi, à la fin d'une rencontre, il m'annonce que le prochain rendez-vous sera dans deux semaines car il prend une semaine de vacances. Je suis choquée: m'annoncer une semaine à l'avance seulement qu'il annule une rencontre! Je trouve qu'il n'a aucun respect. En plus, il ne dit pas où il s'en va et s'il y va seul ou avec d'autres. Je lui fais simplement remarquer qu'il aurait pu m'avertir un peu plus à l'avance.

Au début d'une autre entrevue, je vois passer devant la porte vitrée de la pièce de thérapie une femme qui se dirige vers l'escalier de sortie. Je me sens paniquée: il a une femme dans sa vie, il vit maintenant avec quelqu'un d'autre. Je suis distante, je parle à peine. L'entrevue continue comme si rien ne se passait. Peut-être ai-je mal vu. C'est sans doute une amie ou une parente. Ma peur s'estompe, ma méfiance disparaît.

Enfin, après avoir prolongé quelques entrevues d'un quart d'heure ou plus, voilà qu'un jour Alain m'arrête brusquement au bout d'une heure pile. Je lui demande ce qui se passe. Je lui dis que je trouve ça frustrant de me faire arrêter comme ça alors qu'il prolonge parfois nos rencontres. Je le sens mal à l'aise mais il semble pressé. J'accepte de partir et il n'est jamais plus question de cet incident.

Étant donné que, lors de ces trois événements, j'exprime peu ce que je ressens et qu'il ne relève pas le peu que je lui communique, nos échanges demeurent flous et la confusion se maintient. L'ambiguïté laisse place à tous les possibles. En aucun temps Alain ne remet en question ce qu'il m'a dit au mois de décembre. J'en conclus qu'il m'aime toujours autant qu'il me l'a laissé entendre, mais qu'il a le droit d'agir comme il le fait et qu'il n'a pas à m'informer de ses allées et venues car, après tout, je ne vis pas encore avec lui et je ne suis même pas encore divorcée.

Au cours de ce même mois de mars 1977, mon père m'informe que mon mari et mon beau-frère l'ont invité à souper et qu'à cette occasion ils lui ont demandé d'avoir les yeux ouverts sur ce qui se passe au cours de mes séances de thérapie, car Alain Choinière a la réputation de coucher avec ses clientes et peut-être même avec ses clients. Je suis en colère ! Je suis en maudit ! Je les trouve dégueulasses de dire des choses pareilles et, de plus, à mon père ! Je mentionne à mon père que je suis en thérapie avec Alain et qu'il ne m'a jamais parlé de coucher avec lui.

Malgré tous ces événements et ces racontars, je demeure convaincue de la sincérité d'Alain: puisqu'il m'a dit qu'il m'aime, ce doit être vrai. Il ne peut pas m'avoir menti; d'ailleurs le ton de voix sur lequel il me l'a dit laissait paraître sa sincérité. Toutefois, je veux avoir des preuves tangibles et savoir comment je vais m'organiser: va-t-il venir vivre dans mon appartement ou irai-je vivre dans le sien? Je suis convaincue qu'il est question de vivre ensemble: j'ai l'impression que son «je t'aime», prononcé après quatre mois à l'intérieur d'une relation aussi intime, que son «je t'aime» a plus de poids et de portée que n'importe quel autre «je t'aime».

# Le rendez-vous dans l'auto

Les semaines passent. Je continue mes rencontres hebdomadaires sans qu'il ne soit question à aucun moment de tout ce qui se vit depuis le mois de décembre entre Alain et moi. Je commence à m'impatienter et à trouver le temps long. Déjà quatre mois depuis nos aveux réciproques et nous en sommes toujours au même point.

Un jour d'avril, je passe en fin d'après-midi devant l'Ecole de psychologie. J'aperçois, dans le stationnement, la vieille auto blanche d'Alain : je sais qu'il y va parfois par affaires. J'ai l'idée d'aller m'asseoir dans son auto et de l'attendre. Je ralentis mon pas. Puis je me dis que ça n'a pas de bon sens et je continue ma route vers Québec. Un peu plus loin, j'y repense et je trouve ça drôle : l'idée de le surprendre et de le voir réagir me semble cocasse. Je décide alors d'y aller. Je reviens sur mes pas et je me rends à son auto. Les portes ne sont pas verrouillées ; j'entre et je m'assois du côté du passager. Je me dis que je ne devrais pas attendre très longtemps ; il est déjà 16 heures 30 et il doit sortir vers 17 heures. J'attends. À plusieurs reprises, l'idée de partir me vient à l'esprit : je ne suis pas à l'aise de voir certaines personnes sortir de l'École et me regarder ; de plus, le temps est frais, et j'ai de plus en plus froid. Puis la noirceur tombe. Je me dis que ça n'a pas de sens d'attendre aussi longtemps et qu'il va me trouver ridicule ; d'autre part, je me dis qu'il ne peut pas savoir à quelle heure je suis arrivée et qu'il va maintenant arriver d'une minute à l'autre.

Je ne connais pas Alain. Je ne l'ai jamais vu en dehors de la relation thérapeutique. Comment va-t-il réagir ? J'ai le temps d'imaginer toutes sortes de scénarios et de me faire vivre toute une gamme d'émotions. Il va sûrement être surpris. Oui, surpris. Même si son auto est facilement repérable, il ne peut pas se douter que je l'attends là. Et ensuite ? Va-t-il être choqué ou content ? Je prends de gros risques : s'il se choque, tout sera fini. Plus de thérapeute. Plus d'amoureux possible. Et s'il est content, si ça lui plaît que je prenne l'initiative de le voir en dehors de mes heures de rendez-vous ? Je pourrai alors parler, je saurai enfin à quoi m'en tenir sur notre relation. Mais peut-être voudra-t-il attendre. Attendre que ma thérapie soit terminée, attendre que je sois divorcée. Je ne dois pas perdre de vue que c'est un psychologue chevronné, un professeur d'université, un professionnel qui a fait des études à l'étranger et qui a plusieurs années de pratique derrière lui. Il est probablement très respectueux: il connaît mon mari depuis déjà plusieurs années et il ne voudra pas s'impliquer avec moi tant que le divorce ne sera pas prononcé. Je crois même un instant qu'il a pu m'apercevoir assise dans son auto et qu'il attend que je parte pour sortir.

Mais non! Je l'aperçois. Il sort par la porte principale et se dirige maintenant vers son auto. Il est 19 heures 30. Mon cœur bat à tout rompre: je suis heureuse de le voir et j'ai peur de sa réaction.

En ouvrant la portière, il m'aperçoit; il écarquille les yeux et sourit. Je vois qu'il est surpris et il semble content de me voir. Il entre et s'assoit. Je lui demande comment il se fait qu'il sorte si tard; il me répond qu'il a eu un cocktail. Je me rends compte alors qu'il est «pompette». Il passe son bras autour de mes épaules et m'attire vers lui. Nous sommes dans les bras l'un de l'autre. Nous nous embrassons. Je le sens passionné. Après un certain temps il me dit:

— Je ne sais pas ce qui se passe mais à chaque fois que je te vois je bande.

Surprise à la fois par cette déclaration et par ce dernier mot dans la bouche de mon thérapeute, je laisse échapper:

— Quoi?

— Je ne sais pas ce qui se passe mais à chaque fois que je te vois je me sens attiré par toi.

Ainsi, je ne me suis aperçu de rien. Je lui demande alors:

— Est-ce que ça t'est déjà arrivé pendant les entrevues?

— Oui, me-répond-il.

— Une fois, j'ai remarqué que tu t'es croisé la jambe d'une drôle de façon; est-ce que c'était pour cacher une érection?

— C'est fort possible.

Quelqu'un frappe à la fenêtre d'Alain. Il baisse sa vitre et un homme lui demande si tout est correct, s'il se sent bien. Alain lui répond qu'il ne s'est jamais senti aussi bien de sa vie.

Nous continuons à nous embrasser. Alain me caresse les seins. Je suis étonnée de le voir aussi fougueux et aussi sensuel. J'aime son ardeur mais je ne me sens pas assez à l'aise pour y répondre de la même façon.

Après un certain temps, Alain me demande:

— Où veux-tu que je te laisse?

Je réponds spontanément:

— Chez mes parents, sur la rue Laforêt.

Il démarre immédiatement son auto et me reconduit chez mes parents.

Je trouve la fin de notre rencontre un peu brutale. Je suis surprise. Couchée dans mon lit, je repense à notre rencontre. À ce moment-là, je réalise que sa dernière question ouvrait la porte à bien d'autres réponses qu'à celle que je lui ai donnée. J'ai répondu «chez mes parents». Mais j'aurais pu répondre «chez toi» ou «au motel». Il a dû me trouver niaiseuse de lui demander de venir me reconduire chez mes parents.

Cette rencontre avec Alain confirme son aveu de décembre. Il m'a serrée dans ses bras, il m'a embrassée, il m'a dit qu'il se sentait attiré par moi. C'est bien vrai: Alain est en amour avec moi. Je suis débordante de joie. Je n'ai jamais vu autant de passion chez un homme.

Le surlendemain de ma rencontre avec Alain, je m'en vais chez ma sœur pour les vacances de Pâques. Je laisse entendre à ma sœur que nous nous plaisons bien, Alain et moi, mais je ne lui donne pas de détails sur ce qui s'est passé dans l'auto: je ne veux pas me faire dire que c'est quelque chose qui arrive souvent, qu'il me fait peut-être accroire des choses; je ne veux pas de mises en garde du genre «fais attention», «méfie-toi de lui». Alain m'a dit qu'il m'aimait. Il me l'a fait sentir et a été clair avec moi. Il s'agit vraiment d'un cas d'exception et j'ai suffisamment de preuves pour juger qu'il m'aime vraiment.

## Les relations sexuelles

Dès mon retour à Québec, je rentre à mon appartement vivre seule. Tel que convenu avec mon mari, lui va demeurer au chalet et moi à l'appartement.

J'ai hâte de retourner à l'appartement pour y vivre seule. J'ouvre la porte. Les pièces sont presque entièrement vides: tous les biens de valeur sont partis avec le mari. Je m'en fous. J'ai la certitude que je vais finir par obtenir le divorce. Il n'est pas question que j'entreprenne des démarches pour un partage plus équitable des biens. Mon mari peut bien tout garder s'il le veut, je m'en fiche. Je m'en fiche d'autant plus que j'ai maintenant quelqu'un d'autre dans ma vie: Alain. Et Alain a tout le mobilier nécessaire. Je dois d'ailleurs bientôt le revoir: le surlendemain, mercredi, à mon rendez-vous hebdomadaire.

Le jour de mon entrevue, mercredi après Pâques, Alain me téléphone. Je sens qu'il est pressé. Il m'offre la possibilité d'avoir mon entrevue soit à l'heure prévue, 16 heures, soit à 21 heures. Considérant qu'il n'aura probablement pas de rencontre à 22, je réponds: «21 heures». Je considère avoir ainsi plus de chance qu'il prolonge mon entrevue.

Je suis excitée et nerveuse: excitée à l'idée de revoir Alain et inquiète face à l'entrevue. Compte tenu des derniers événements, comment l'entrevue va-t-elle se passer? Est-ce que je vais pouvoir encore parler de ce que je vis ou bien si c'est Alain qui va maintenant parler de lui? Et que décidera Alain par rapport à ma thérapie? Voudra-t-il me référer à un autre thérapeute afin de pouvoir sortir ouvertement avec moi ou voudra-t-il attendre encore quelque temps afin de terminer ce qu'il a commencé avec moi?

Le soir de mon entrevue, j'arrive un peu à l'avance: Alain est en entrevue. J'attends dans la petite pièce attenante à la salle de thérapie. Le client sort et Alain me dit d'entrer. Il s'assoit sur un coussin. Je m'assois, comme à l'habitude, par terre, en face de lui. Il ne parle pas. Je commence donc à parler. Je parle de mon retour à mon appartement: l'état dans lequel je l'ai trouvé, ma joie d'y revenir vivre seule. Je parle pour parler. Je meuble le temps. Alain ne dit pas un mot; il ne revient pas sur ce qui s'est passé la semaine précédente dans l'auto. Je n'ose en reparler.

Après une bonne demi-heure, j'arrête et je dis à Alain:

— J'ai juste envie de te serrer, de t'embrasser.

Assis sur son coussin, Alain ne parle pas et ne fait aucun geste. Je m'approche de lui et j'appuie ma tête sur sa poitrine. Il me laisse faire. J'ai l'impression qu'il veut me tester pour savoir si je suis capable d'aller chercher ce que je veux. Je dénoue sa cravate. Il reste imperturbable. Voyant qu'il n'offre aucune résistance, je commence à déboutonner sa chemise. Pas un mot, pas un geste de sa part. Je continue jusqu'à ce que je puisse entrouvrir sa chemise et appuyer ma tête sur son torse nu. À un moment donné, sans dire un mot, il me soulève dans ses bras et me transporte dans sa chambre, sur son lit. Il me dévêt rapidement et passionnément. Je suis à la fois surprise et heureuse de voir un homme aussi fougueux. Ce soir-là, j'ai ma première relation sexuelle avec lui et je m'endors à ses côtés.

Au milieu de la nuit, vers 3 heures, je me réveille et il ouvre les yeux. Il me demande:

— Veux-tu que j'aille te reconduire?

Croyant qu'il me laisse le choix entre retourner à pied ou retourner en automobile, j'acquiesce, même si je sais qu'il lui sera difficile de se réveiller et de venir me reconduire. En descendant de l'auto, je me retourne vers lui:

— Je vais te payer cette rencontre la semaine prochaine.

Il me regarde, les yeux écarquillés, la bouche tombante, sans dire un mot. J'ai l'impression qu'il me dit: «Non! Mais es-tu sérieuse?» Je n'insiste pas, je pousse la portière et je rentre seule chez moi.

Je n'arrive pas à dormir.

Le film de tout ce qui s'est passé se déroule sans cesse dans ma tête. Je revois chaque séquence: le téléphone du matin, le changement d'heure de la rencontre, le début de la rencontre, mon geste vers lui, le moment où il m'a prise dans ses bras pour me transporter dans son lit, sa fougue à m'embrasser et à me caresser, son rugissement à me pénétrer, ma joie de le voir si passionné, notre réveil dans la nuit et le retour dans son auto.

À chacune des séquences, surgissent des questions.

Avait-il l'intention de faire l'amour avec moi quand il m'a offert deux possibilités de rencontres? Était-ce une façon de savoir où j'en étais face à lui? Attendait-il que je fasse le premier pas vers lui, que je prenne l'initiative moi-même? Peut-être était-ce un signe que la thérapie pouvait prendre fin? Est-ce que je pourrai lui téléphoner? Est-ce que je pourrai le rencontrer? Où? Quand? Comment?

Au matin, je téléphone à Alain. Je lui dis que j'ai beaucoup aimé sa fougue. Il rit de bon cœur. Je lui souhaite une bonne journée.

## Et ça continue...

Les jours passent. Je commence à m'inquiéter. Enfin! Alain me téléphone et me propose de le rencontrer mardi matin à 10 heures. Je crois alors qu'il veut me rencontrer une dernière fois en entrevue afin de faire une mise au point. J'accepte.

À mon arrivée, nous nous serrons, nous nous embrassons et nous nous dirigeons vers sa chambre où nous faisons l'amour. «L'entrevue» se prolonge au-delà de l'heure habituelle et je repars en me demandant si je dois payer cette rencontre, s'il y aura d'autres rencontres et, si oui, quand aura lieu la prochaine.

Inquiète, je téléphone à quelques reprises à Alain pour essayer de démêler ce qui se passe avec lui et obtenir certaines réponses à mes questions. J'ai peur de le blesser en lui posant des questions trop directes. J'ai peur qu'il s'impatiente, qu'il se choque contre moi ou qu'il croit que je ne lui fais plus confiance. Je suis tellement maladroite que je ne sais rien de plus après mes conversations avec lui. Toutefois, je réalise assez rapidement qu'il vaut mieux ne pas téléphoner à Alain comme bon me semble. À quelques reprises, il me fait savoir qu'il est pressé et il me renvoie au mardi suivant, à 10 heures. D'ailleurs, lui ne téléphone pas. Je comprends donc que nous devons limiter nos rencontres au mardi matin, à 10 heures: il a un emploi à l'extérieur, il fait du bureau à Québec et il doit s'occuper de ses enfants les fins de semaine. Alain est un homme tellement occupé que je devrai essayer de tout combiner: continuer à parler de moi, apprendre à le connaître en le faisant parler de lui et réussir à sauvegarder quelques moments pour faire l'amour. À l'intérieur d'une heure ou peut-être parfois un peu plus s'il a suffisamment de temps, ce n'est pas facile. Aussi, dès la troisième rencontre du mardi matin, je dis à Alain:

— Je veux parler, j'ai encore des choses à dire mais je ne sais plus trop comment y arriver car je veux aussi que tu me parles de toi et que nous ayons le temps de faire l'amour.

Ce à quoi il répond :

— C'est souvent ce qui se produit quand il y a des relations sexuelles.

Un peu surprise, je me fais la réflexion qu'il semble déjà être au courant. Je me demande même s'il n'a pas vécu la même chose avec d'autres clientes. Je calme un peu mes doutes en supposant qu'il en a entendu parler, que ses confrères lui en ont probablement parlé ou qu'il a sûrement lu des recherches sur le sujet.

Je continue ainsi à voir Alain jusqu'à la mi-juin, c'est-à-dire jusqu'à ce qu'il prenne ses vacances. Parfois, à mon arrivée, nous nous dirigeons immédiatement vers sa chambre où nous faisons l'amour ; parfois, je parle un peu de ce que je vis et, après une quinzaine de minutes, nous sortons de la pièce de thérapie pour aller dans sa chambre. À plusieurs reprises, mon rendez-vous de 10 heures à 11 heures se prolonge ; nous prenons alors le lunch ensemble chez lui et il me reconduit chez moi.

Au cours de cette période, Alain comble selon moi tous mes besoins : je peux lui parler de ce que je vis et j'éprouve beaucoup de satisfaction à faire l'amour lui. Pourquoi vouloir clarifier ce que nous vivons ? Lui ne semble pas en éprouver le besoin et moi j'ai l'impression de gâcher le peu de temps que nous avons ensemble à essayer de comprendre, de savoir, d'interpréter, de deviner l'avenir. Que je suis donc compliquée ! Pourquoi ne pas tout simplement profiter du moment présent ? Est-ce que les gestes que pose Alain ne parlent pas d'eux-mêmes ? N'est-ce pas assez évident qu'il m'aime ? Bien sûr ! Mes sentiments pour Alain sont partagés. Il suffit de se donner un peu de temps pour se connaître, d'attendre que le divorce soit prononcé et voilà, nous pourrons avoir une vie de couple.

Pourquoi les séparations sont-elles si difficiles ? Le lendemain de chaque rencontre, je me retrouve seule, sans lui et sans personne d'autre. Je dois attendre l'autre rendez-vous. Je sais que je ne peux pas prendre auprès d'Alain plus de place que celle qu'il veut bien m'accorder. Vouloir en prendre plus, c'est aussi prendre le risque qu'il se choque et que je le perde. Et le perdre, c'est perdre mon seul confident, mon amant, la personne en qui j'ai mis pour la première fois de ma vie toute ma confiance, l'homme en qui je mets maintenant tous mes espoirs. Sans lui, ce serait l'isolement. Il n'y a personne d'autre à qui je peux parler de ce que je vis, encore plus depuis ce qui s'est passé entre nous avant les vacances de Pâques.

Je supporte toutes ces frustrations en me disant qu'il s'agit là d'une situation temporaire, que cette situation va bientôt changer, très probablement aussitôt que moi je serai libre, divorcée. Je suis à ce point certaine que moi et Alain allons vivre une relation de couple que, fidèle à mon principe qu'il ne doit pas y avoir de secrets dans un couple, je lui rapporte ce que mon mari et mon beau-frère ont dit à mon père: «Alain Choinière a la réputation de coucher avec ses clientes et peut-être même avec ses clients.» J'ajoute que je les trouve écœurants d'avoir dit ça et que, si jamais ils décident de le poursuivre lui, Alain, je le défendrai en disant que c'est moi qui ai commencé. Là-dessus, son visage s'adoucit et il sourit. Je ne veux absolument pas qu'Alain soit blâmé de m'avoir avoué son amour. Je suis prête à me mettre tous les torts sur le dos, même si je me doute qu'Alain fait fi d'une règle professionnelle. Alain ne dit rien, il ne fait aucun commentaire.

Alain ne fait pas plus de commentaires au sujet du paiement des entrevues: il ne revient pas sur le sujet et il ne réclame pas ses 30 dollars à la fin des entrevues. Lors de la cessation de nos rencontres hebdomadaires à la mi-juin, je sais que je dois 240 dollars à Alain, montant que je me propose de lui rembourser dès que je trouverai un emploi.

## Un événement surprenant

Au cours des trois semaines qui suivent la fin de nos rencontres hebdomadaires, je suis très préoccupée: je termine un trimestre universitaire, je dois passer à la Cour pour mon divorce au début de juillet et je prépare quelques jours de vacances avant de continuer mes recherches d'emploi.

Malgré tout, Alain et moi prenons le temps de nous rencontrer pour un souper et une nuit chez lui avant nos départs respectifs: moi pour Cacouna et lui pour Londres. Lors de cette nuit passée ensemble, se produit un événement qui me surprend.

Mon voyage était un projet personnel. Je sentais que j'avais besoin de repos et j'avais envie d'être seule. J'avais réussi à trouver un endroit tranquille au bord de la mer, un endroit qui respectait mon mince budget. Toutefois, je ne voulais pas divulguer le lieu à Alain. Je craignais qu'il veuille venir avec moi et je ne savais pas comment je ferais pour dire «non». Ainsi, le soir, avant de nous endormir, je dis à Alain:

— J'ai trouvé un endroit qui me plaît, mais je ne veux en parler à personne; je vais y passer une dizaine de jours.

Le lendemain matin, Alain se réveille et me dit:

— Je ne sais pas comment ça se fait, j'ai rêvé à Cacouna.

Étonnée, je lui demande:

— À quoi?

— À Cacouna.

— Comment se fait-il que tu connaisses cet endroit?

— Je passais mes étés là quand j'étais jeune.

Surprise et déçue, je lui avoue que c'est à cet endroit que je vais en vacances. Cette coïncidence me laisse croire qu'Alain a peut-être des capacités ou des pouvoirs de clairvoyance.

Je pars pour Cacouna et lui pour l'Angleterre où il doit assister à un congrès. Nous nous laissons en nous disant que nous nous reverrons, mais sans plus de précision.

## Mon divorce est réglé

À mon retour de vacances, je m'occupe à temps plein à me trouver un emploi. Je n'ai pas envie de m'éloigner d'Alain. Je cherche donc un emploi à Québec et, dans la mesure du possible, en relation avec mes récentes études. Puis j'attends le retour d'Alain.

Parfois, je compose son numéro de téléphone ou je passe devant chez lui à Sainte-Foy; il n'y a pas de réponse, il n'est pas de retour. Je n'ai aucune idée de la date de son retour. J'essaie souvent d'imaginer les modalités de notre relation. Je commence avec du connu: il est libre (divorcé) et moi aussi, depuis peu; il habite Sainte-Foy (même s'il enseigne à l'Université du Québec à Trois-Rivières) et moi Québec; il m'a dit qu'il m'aime, il n'y a rien qui m'indique le contraire; pour ma part, il n'y a aucun doute, je l'aime aussi. Je demeure ouverte à toutes les possibilités: cohabiter chez moi ou chez lui, ou, s'il le veut, ne pas cohabiter et rester chacun dans nos logis. Après tout, nous demeurons seulement à quelques kilomètres l'un de l'autre.

Puis, surgissent les questions. Comment se fait-il qu'Alain n'ait pas encore abordé ce sujet? Maintenant que je n'ai plus de rendez-vous avec lui, quand allons-nous pouvoir nous rencontrer? Aura-t-il du temps pour moi entre ses voyages pour ses enfants et pour l'Université, ses préparations de cours et sa pratique privée, sa présence à tous ses comités, associations et congrès? Est-ce que je pourrai me montrer publiquement avec lui ou faudra-t-il encore limiter nos rencontres chez moi et chez lui? Comment se fait-il que je sois aux prises avec tant de questions? J'ai toujours aussi peur de poser des questions, de clarifier les situations que je l'avais au début de la thérapie. Si Alain ne parle pas de ce que nous vivons, ce doit être parce que tout est évident, tout est là. Je ne devrais pas m'inquiéter.

Pourtant cet été-là, j'ai des problèmes avec une oreille: je n'entends plus de l'oreille droite. Je passe des examens. Un médecin spécialiste me dit que c'est probablement causé par le stress; mais, pour plus de certitude, il va rompre mon tympan pour vérifier s'il n'y a pas du pus dans l'oreille moyenne. Ce qu'il fait, sans y rien découvrir.

Je ne comprends pas du tout le rapport qu'il peut y avoir entre le stress et le fait de ne pas entendre d'une oreille. Je suis même surprise que le médecin me parle de stress à ce moment-ci: mon divorce est réglé, mes études sont terminées, mes recherches pour me trouver un emploi vont bon train et, en plus, j'aime un homme qui m'aime. Je ne saisis pas ce qui m'arrive car j'ai l'impression d'avoir eu des périodes beaucoup plus stressantes que celle-là.

## Une carte postale de Londres

Vers la fin août, je reçois une carte postale d'Alain. Une magnifique carte postale de la Tamise. Une carte écrite le 15 août et estampillée le 17 août. Une carte qui dit:

> «J'ai fait un bon voyage, et Londres est toujours aussi séduisante. Le congrès est pas mal, mais c'est difficile de résister à la belle température.
>
> À bientôt. Alain.»

Je suis contente, je suis excitée! Enfin! J'ai des nouvelles d'Alain; je sais où il est, ce qu'il fait et comment ça se passe. Et surtout, il m'annonce que nous nous reverrons, et très bientôt. Je suis folle de joie. Il me semble le retrouver dans sa façon de décrire les choses: Londres est «séduisante», il lui est difficile de «résister» à la «belle» température. Je retrouve le gamin plein de vie et sensuel qui se fout des conventions. J'ai très hâte de le revoir.

## Je fais un rêve troublant

Je n'attends pas longtemps: dès le 1er septembre, Alain me téléphone, je l'invite à souper chez moi et nous passons la nuit ensemble. Cette nuit-là, je fais un rêve:

> Je suis avec Alain, c'est agréable: nous sommes bien ensemble et nous avons du plaisir. Tout à coup, nous nous retrouvons en auto, prêts à partir. Il va alors chercher la femme avec qui il vit; elle s'assoit dans l'auto. Le temps de quelques minutes, je sens qu'il m'a caché quelque chose, que tout est fini entre nous deux. Alain sort de l'auto, il me fait signe de le suivre et moi, très hésitante, je me dirige vers lui. Au début, j'ai peur que ce soit trop évident dans mes yeux que je l'aime; puis, peu à peu, tout redevient comme au début, avant que la femme arrive. Alain et moi partons, main dans la main, loin de l'auto, en courant et en riant; et la femme reste assise là, sans bouger. Tout redevient comme au début: je suis très à l'aise, même si je ne dis rien à Alain de ce que je ressens et même s'il ne sent pas le besoin de m'expliquer ce qui

se passe. Nous ne nous occupons plus de la femme assise dans l'auto, nous l'oublions réciproquement.

Au réveil, je prends le risque de raconter mon rêve à Alain. Je dis bien «je prends le risque» car j'hésite à le faire; j'ai peur qu'il me confirme qu'il a effectivement une autre femme dans sa vie. Je raconte mon rêve. J'attends. Alain ne confirme rien; par contre, il sourit et j'y vois de la satisfaction. J'interprète ce sourire comme signifiant «enfin! Tu m'as compris». J'ajoute donc:

— Ce n'est pas parce qu'il y en a d'autres que tu m'aimes moins.

Il acquiesce. Je tais le malaise que je ressens en me disant que je suis trop possessive et que j'ai encore du chemin à faire pour arriver à me sentir dégagée dans ce genre de relation.

D'une part, ce rêve me rassure: j'en sais un peu plus sur Alain, je commence à le connaître; d'autre part, ce rêve me déçoit: mon désir de vivre une relation stable avec Alain tombe à l'eau. J'aurais dû y penser! Un homme évolué et mature comme lui devait sûrement avoir dépassé les normes rigides et aliénantes de la relation de couple traditionnelle. J'aurais pu au moins l'intuitionner, moi qui disais à Alain que je mourais à petit feu dans ce genre de relation, moi qui parlais de «m'affranchir». Ce rêve devient une espèce de plaque tournante dans ma vie.

Les jours qui suivent, je réfléchis davantage à ce que j'ai observé et connu de la relation de couple traditionnelle. Je repense à tout ce que j'ai dit en thérapie. Je dois être logique avec moi-même: puisque le modèle traditionnel ne me satisfait pas, je dois en sortir. Et si j'en sors, c'est pour vivre autre chose. Alain le sait bien, lui qui a divorcé. Toutefois, il est plus avancé que moi, il a fait du chemin: il est capable d'avoir plusieurs relations, du moins plus d'une; il n'essaie pas de s'encabaner avec une seule femme, de l'empêcher de rencontrer d'autres hommes, de la posséder pour lui tout seul. Même si je ne suis pas encore à l'aise dans ce genre de relation à plusieurs, je vais devoir travailler sur moi pour y arriver: je dois vivre avec les conséquences de mes choix. Alain devient donc une espèce d'idéal à atteindre.

## J'ai enfin un emploi!

Au cours du mois de septembre 1977, je continue à me chercher un emploi. Vers la fin de septembre, le directeur des ressources humaines d'une entreprise privée me téléphone et m'annonce qu'il m'offre l'emploi pour lequel j'ai postulé. Enfin! Enfin, j'ai un emploi! Et pas n'importe quel emploi: un emploi à Québec et un emploi dans un service de relations publiques, donc en rapport avec mes études universitaires. Je suis très heureuse, très excitée. Je compose le numéro d'Alain. Il est là. Je lui annonce la bonne nouvelle et je lui dis que je veux fêter ça avec lui. Il est content et il accepte. Puis, encore très excitée, je sors annoncer la nouvelle à mon père qui fait des travaux autour de la maison. Je lui mentionne que je vais fêter ça «avec des ami(e)s».

«Avec des ami(e)s!» Une expression chère à Alain! Une expression passe-partout qui lui permet de ne pas donner de précisions, de garder sa part d'intimité. Et voilà que j'utilise cette expression. Je suis capable, moi aussi, d'avoir une porte de sortie qui m'évite de donner tous les détails de ma vie privée. C'est la première fois que j'arrive à l'utiliser. Finis mes malaises face aux sorties avec Alain: au lieu de me taire ou de me disculper en disant que j'ai «quelque chose» ou que j'ai une sortie avec «quelqu'un», je vais faire comme Alain et dire avec assurance que je sors «avec des ami(e)s».

Je célèbre donc mon nouvel emploi: officiellement, «avec des ami(e)s», officieusement, avec Alain. Il est le seul avec qui je veux célébrer et le seul avec qui je peux célébrer: il est la seule personne avec qui j'ai développé une certaine intimité. Je suis fière d'avoir réussi à décrocher cet emploi et je suis surtout fière face à lui: j'ai l'impression que c'est une façon de lui montrer que son aide porte fruit car je serai désormais indépendante financièrement. Il me semble que je monte d'un cran à ses yeux.

Je commence à travailler en octobre, le lendemain du congé de l'Action de Grâces.

## Le même scénario!

Une semaine après mon entrée en service, mon supérieur me fait participer à une session de formation. Sur le plan professionnel, je n'en retire pas grand-chose car je ne suis pas assez familière avec mon travail. Sur le plan personnel, je suis fascinée par la clarté du discours des animateurs: leur approche, qu'ils disent «gestaltiste» (ce qui ne veut rien dire pour moi) est directe, confrontante même, et me plaît beaucoup. En fait, je trouve que ce que disent les animateurs va dans le même sens que ce que laisse entendre Alain: avoir un besoin implique la responsabilité de le satisfaire...; oser demander c'est prendre le risque de se faire dire non...; enfin, chacun est responsable de sa vie... etc.

Attirée par ce discours et désireuse de mieux connaître cette approche, je m'inscris à d'autres sessions du même genre. Lors d'une session, j'établis un bon contact avec le professeur: j'aime sa façon directe de dire ce qu'il a à dire, je participe activement aux exercices et je crois qu'il a du plaisir à travailler avec moi. Je vois qu'il m'accorde plus d'attention qu'aux autres participants et cette attention particulière fait ressurgir en moi ce même besoin que j'ai un jour ressenti en présence d'Alain: j'aimerais être serrée dans ses bras.

À la toute fin de la session, je me risque donc à mettre en pratique ce que j'ai entendu. Il est clair que j'éprouve le besoin d'être serrée dans les bras de ce professeur; c'est à moi qu'il incombe de satisfaire ce besoin. Je ramasse mon courage à deux mains et, pour la deuxième fois de ma vie (la première fois étant dans un contexte de thérapie avec Alain), j'ose demander à un homme de me serrer dans ses bras, tout en prenant consciemment le risque de me faire dire non. Le professeur accepte et me serre dans ses bras. Tout en me serrant, il m'offre de le rencontrer après le cours, chez moi. J'accepte. Il arrive peu de temps après moi.

Nous nous assoyons à terre, dans le salon. Nous parlons plusieurs heures. Je lui dis que je n'ai pas l'habitude de demander, que je trouve ça difficile et humiliant et que j'ai aussi très peur d'exprimer mes besoins. J'ai l'impression qu'il comprend ce que je lui exprime et qu'il est même ému de mes confidences. Toutefois, il va au-delà du besoin que je lui ai exprimé: il commence à me caresser et à m'embrasser et, comme je ne sais pas préciser mon besoin et mettre mes limites, il passe une partie de la nuit chez moi. Je réalise assez rapidement que je ne suis pas plus habile à exprimer «ce que je ne veux pas» que «ce que je veux».

Mon professeur est marié; il m'a laissé entendre qu'il est heureux dans sa relation de couple. Je me fais alors la réflexion que c'est lui qui est responsable de sa vie et qu'il doit savoir ce qu'il fait. Le cours étant terminé, je me dis qu'il s'agit d'une aventure d'un soir et que je ne le reverrai plus. Or, quelle est ma surprise quand, deux semaines plus tard, il me téléphone en me disant qu'il a du travail à Québec et me demande s'il peut venir passer la fin de semaine chez moi. Je suis très surprise et, en même temps, je trouve agréable que lui et non moi propose de passer du temps ensemble. Avec Alain, j'ai souvent l'impression de quémander un souper, une nuit; Louis, mon professeur, me dit qu'il a trouvé agréable le temps passé avec moi et qu'il a envie de me revoir. Je suis agréablement surprise et j'accepte de le recevoir chez moi pendant la fin de semaine. Après tout, il sait ce qu'il fait, n'est-il pas responsable de sa vie?

## Je fais un rêve significatif

Je continue à rencontrer cet homme qui, tout en me faisant partager ses goûts et ses activités, n'est pas menaçant: il est marié et heureux avec sa femme. Il n'y a donc aucun danger que cette relation mette un terme à ma relation avec Alain. Je laisse d'ailleurs entendre à Alain quelque chose comme «ne t'inquiète pas: je sais que tu es très occupé, que tu ne peux répondre à tous mes besoins, mais je peux m'arranger en allant chercher auprès de quelqu'un d'autre ce que tu ne peux me donner.» Je lui montre avec fierté que je ne suis pas entièrement dépendante de lui et que je ne l'aime pas moins, même si je rencontre un autre homme. Je commence à être capable de vivre selon son modèle de «relations multiples». Mais tel n'est pas le message de mon rêve, le 23 novembre, un rêve très dense où toutes les paroles et tous les gestes ont une signification:

J'arrive chez Alain. C'est le matin et je vais lui porter des choses que j'ai en ma possession mais qui lui appartiennent. Une femme en déshabillé rouge me voit à la porte et ne m'ouvre pas. Elle se retourne et je reconnais une de mes amies. Elle sort de la douche. Alain arrive, nu, et il m'ouvre la porte. Je dis:

— Je viens te porter tes affaires.

Je lui mets dans les bras un gros objet et je lui dis:

— Je vais aller porter le restant dans ta chambre.

Je monte à la chambre; le lit est défait et, dans le centre, il y a une reproduction agrandie d'une carte que je lui ai envoyée. Je vois qu'ils l'ont probablement regardée ensemble. Je redescends et je me dirige vers la sortie. Comme je me doute qu'Alain essaiera de me toucher, je saute par-dessus un obstacle qu'il y a dans le haut de l'escalier qui conduit à la porte. Il saute lui aussi et descend derrière moi:

— Tu viens me porter mes affaires comme si tu ne voulais plus avoir de liens avec moi.

— Je préfère m'éloigner de toi pour quelque temps car je souffre trop.

— Quand tu m'invitais chez toi, tu le faisais librement et c'était parce que ça te faisait plaisir.

— Oui, mais là, je souffre; regarde comme je tremble.

Je mets mon bras sur le sien. Alain dit:

— Tu trembles comme ça et tu ne me le dis pas?

Et je pense: «Il me semble que c'est bien évident; si tu ne le vois pas, c'est parce que tu n'es pas assez près de moi.»

> Il est évident que je souffre de partager Alain avec d'autres femmes. Mais je n'ose lui avouer. Je veux couper le contact, du moins pour quelque temps. J'ai de la difficulté, je me sens vulnérable: pour éviter qu'il ne me touche, je dépose dans ses bras un gros objet, je saute par-dessus un obstacle. J'ai l'impression qu'il fait tout pour me retenir à lui: il m'ouvre la porte, nu, il saute par-dessus l'obstacle et descend derrière moi, il essaie de me faire comprendre que j'ai agi librement. Mon seul argument est la tension qui se manifeste dans mon corps et qui s'exprime par des tremblements.

Je n'ose pas exprimer à Alain ce que j'éprouve quand je le sais avec d'autres femmes: je vis de la frustration, j'éprouve de la colère, je deviens découragée, j'ai de la peine, je me sens abandonnée, rejetée. Si je le lui disais, j'aurais l'impression de me montrer possessive, immature, incapable de le laisser libre. J'aurais l'impression de lui dire que sa thérapie avec moi est un échec. Et je trouve ça ingrat de ma part: il a su m'écouter, m'aider à divorcer et à me faire comprendre que je peux être moi-même. Je trouve important de lui montrer qu'il a été très efficace. D'ailleurs, il m'arrive de lui dire: «une chance que tu as pu m'aider» ou «ça va, mais tu en as une grosse part du gâteau».

## La lettre anonyme

Au cours des mois de novembre et décembre, je vois venir la période des Fêtes et je voudrais partir, partir pour Paradise Island. Or, Alain a ses enfants à Shawinigan et Louis, mon professeur, a un congrès à Mexico. Il m'arrive à quelques reprises de mentionner à Louis que si j'avais l'argent nécessaire, je passerais le temps des Fêtes à Paradise Island. Il sait bien qu'il s'agit d'un souhait plus que d'un projet. Et je ne m'en cache pas. Or le 23 décembre, j'apprends d'une de mes amies que la femme de Louis est en larmes car elle a appris, par une lettre anonyme, que Louis rencontrait parfois une fille de Québec et qu'il était prêt à annuler son congrès pour aller à Paradise Island avec elle. Je suis bouleversée. J'ai l'impression de vivre un cauchemar. J'essaie de rejoindre Louis, sans succès.

Le 23 décembre au soir, je prends le train de nuit pour aller rejoindre mes parents chez ma sœur en Ontario. Je ne dors pas de la nuit tant je suis secouée par toute cette histoire. Je trouve un bout de papier et j'écris:

Ce qui me surprend le plus, c'est la réaction de sa femme. Louis m'a toujours laissé entendre qu'ils étaient autonomes: lui parlait à sa femme de ses rencontres avec moi et elle lui parlait de ses rencontres avec d'autres hommes. Comment se fait-il alors qu'elle ait réagi de cette façon à la lettre anonyme? Ai-je été naïve? Louis m'aurait-il menti en me disant qu'il parlait de nos rencontres à sa femme ou en me disant qu'il avait une femme autonome? Peut-être est-ce lui qui a été naïf!

J'ai vraiment un sentiment de tristesse face à tout ça et je demeure perplexe. En même temps, j'ai le sentiment d'avoir été sincère; j'ai eu l'impression que tout se faisait ouvertement jusqu'à maintenant.

Je suis envahie par cette affaire. Rien d'autre ne me préoccupe. Pas même le fait que mon ex-mari ait envoyé un cadeau à chaque membre de ma famille, sauf à moi. Tout ce que je désire, c'est de voir arriver la fin des vacances et le mois de janvier afin de pouvoir parler à Louis de toute cette histoire.

## Une offre que j'aurais dû refuser

Je reviens de l'Ontario en automobile avec mes parents. Dès le lendemain de mon arrivée à Québec, le 28 décembre, je pars pour Grand-Fonds avec un ami d'Alain, Simon. Ce dernier m'a en effet téléphoné, juste avant mon départ pour l'Ontario, et m'a offert d'aller faire du ski avec lui trois jours, entre Noël et le Jour de l'An. Me sentant fatiguée et inquiète, et sachant que je n'avais aucun projet avec qui que ce soit, j'ai accepté en me disant que ça me ferait du bien de faire du sport au grand air. Je vois ces quelques jours comme une halte, un arrêt qui va m'aider à faire le plein. Quelle naïveté! Et aussi, quelle déception! Simon ne cherche pas un logis avec deux chambres, ou encore avec deux lits: il cherche un lit double. Je suis dépassée. Coucher avec cet homme ne m'a jamais effleuré l'esprit. Et voilà! Je me retrouve soudainement dans cette situation, avec l'impression d'avoir à aller jusqu'au bout, faute de ne pas l'avoir vue venir. Avant de quitter le motel, Simon me dit:

— N'en parle pas pour ne pas que les gens pensent que les psychologues font l'amour avec tout le monde.

Déconcertée, je laisse échapper:

— Quoi?

Et il répète :

— Ne parle pas de tout ça pour ne pas que les gens pensent que les psychologues font l'amour avec tout le monde.

Moi j'en déduis que c'est effectivement le cas. Et je retourne chez moi avec le sentiment d'avoir perdu le contrôle de mon corps. Pourquoi me fatiguer avec ça? Un de plus, un de moins, ce n'est pas grave. De toutes manières, cette pratique a l'air monnaie courante. Il me vient alors à l'esprit qu'Alain a peut-être suggéré à Simon de m'inviter, en lui disant que je ne saurais refuser ses avances.

Dès que Louis revient de vacances, je lui rapporte ce que m'a dit mon amie. Il me dit que c'est impossible : sa femme n'est pas du genre à faire des crises de larmes et il ne voit pas du tout qui pourrait lui avoir écrit cette lettre anonyme. Quant à l'histoire de Paradise Island, c'est une pure coïncidence. Je ne crois pas ce qu'il me dit et, après quelque temps, je cesse d'argumenter et lui demande de vérifier auprès de sa femme. Je demeure convaincue de l'authenticité de la lettre et je commence à être sceptique face à Louis.

Au cours des mois qui suivent, je continue à fréquenter Louis et Alain. Louis et moi pratiquons beaucoup de sports et passons parfois des fins de semaine ensemble. Quant à Alain, nos rencontres sporadiques sont toujours du même ordre, dans les mêmes décors : copieux dîner arrosé d'alcool suivi de la nuit ensemble chez moi ou chez lui.

## Je souffre d'un excès de stress

Au travail, je suis souvent fatiguée. Je commence à avoir des palpitations de paupières et des étourdissements. Je fais parfois du temps supplémentaire que je reprends en temps compensé. Mon taux d'absentéisme est élevé : tous mes congés de maladie y passent. Mes étourdissements sont de plus en plus fréquents et intenses. En juillet, je ressens au réveil des maux de gorge très douloureux ; au lever, je dois prendre trois aspirines pour réussir à avaler et, tout au long de la journée, une aspirine aux trois heures.

Inquiète de voir apparaître tous ces symptômes, je consulte d'abord un médecin. Après les examens de routine et les quelques questions d'usage, il m'informe qu'il est naturel de vivre du stress après un récent divorce et un nouvel emploi. Dans l'espoir de comprendre ce qui m'arrive, je m'inscris à une session de groupe d'une semaine. Je libère un peu de tension mais ce n'est que passager. Au mois d'août, épuisée, je prends enfin quelques jours de vacances, ce qui me donne un peu de recul face à mon travail. Je réalise que je suis en train d'y laisser ma peau et que je ne peux continuer dans ce genre d'emploi jusqu'à mon éventuelle retraite. J'envisage peu à peu la possibilité de donner ma démission.

Préoccupée par cette décision, je remarque à peine la carte postale que m'envoie Alain en congrès à Genève :

> « C'est une belle ville ici, qui invite à la flânerie, si ce n'était pas du maudit congrès ! Il me semble que ça fait déjà longtemps que je suis parti. Probablement parce que c'est différent et que j'en profite tellement ? Bonnes vacances ».

Alain

Toutefois, cette carte m'indique qu'il est encore là, qu'il pense encore à moi. Ainsi, le jour même où il est convenu que je cesse de travailler, je téléphone à Alain pour lui annoncer... la bonne nouvelle. En effet, je suis aussi fière et heureuse de quitter cet emploi où je développais toutes sortes de symptômes que je l'ai été de sortir d'une relation de couple où je me mourais. Alain reste surpris d'apprendre que je laisse mon emploi. Il me dit :

— Mais je croyais que tu allais m'annoncer que tu avais une promotion !

C'est alors que je lui parle de tous mes symptômes. Je perçois dans sa voix la présence d'une certaine inquiétude ; mais il accepte de fêter avec moi.

En septembre, je cherche à nouveau un emploi : je fais des téléphones, je remplis des formulaires de demandes d'emploi et je passe des entrevues tant à Montréal qu'à Québec. À mon retour d'un de mes voyages à Montréal, le 23 septembre 1978, je trouve cette invitation à ma porte :

Monsieur Alain Choinière

a

l'honneur

et

le plaisir

d'inviter :

Mademoiselle Lyse Frenette

À UN SOUPER D'ANNIVERSAIRE

à 19 hres.

Sainte-Foy

RSVP

Je suis très contente et je téléphone immédiatement pour savoir si l'invitation tient toujours. Alain m'attend. Comme à l'habitude... avec du mousseux et une bonne bouffe ! Il n'est évidemment pas question de mon humiliation à recevoir de l'assurance-chômage ou de mon inquiétude à me trouver un emploi. Depuis avril 1977, je ne dis plus à Alain ce qui ne va pas. La thérapie est finie. Il n'y a de place que pour ce qui va bien. Sinon... j'imagine qu'Alain sera déçu, qu'il s'éloignera et que je me retrouverai encore une fois toute seule.

En octobre, tout en continuant mes recherches d'emploi, j'envisage aussi la possibilité de retourner aux études. Je m'informe sur le contenu des cours en animation de groupes, en communications et... en psychologie. Je sens qu'il s'agit de ma dernière chance pour retourner aux études. Même si je doute d'être admise en psychologie, je veux aller vérifier s'il y a une possibilité. Je prends donc rendez-vous avec le directeur du premier cycle en psychologie de l'Université Laval et je m'informe des possibilités d'être acceptée au baccalauréat en psychologie. J'ai tous les prérequis — et ma moyenne dans mon programme universitaire antérieur est très élevée. Comme il n'y a pas d'inscription en janvier, le directeur me propose de suivre cinq cours de psychologie, d'avoir d'excellents résultats et de déposer ma demande pour l'automne 1979. J'en suis très heureuse et je suis décidée à ne pas rater ma chance. Toutefois... je ressens le besoin de démêler tout ce que je vis par rapport à Alain. Je lui demande donc de me donner des références de psychologues sans préciser la nature de ce pour quoi je veux consulter.

# Chapitre 3

# Les démarches infructueuses pour me retrouver

## Je consulte un deuxième psychologue

Des références de psychologues. Voilà tout ce que je demande à Alain; je ne veux pas qu'il sache que j'ai besoin d'aide pour me démêler dans tout ce que j'éprouve face à lui. Et j'imagine qu'il ne s'en doute pas. Il me dit:

— Je sais que Marcel Lamontagne est très bon.

Je téléphone donc au bureau de Marcel Lamontagne. Je demande à la réceptionniste une rencontre de thérapie individuelle avec Marcel Lamontagne et je lui dis que je suis référée par Alain Choinière. Elle me répond que Marcel exige d'abord la participation à une session de fin de semaine. Je m'inscris donc à la session de la dernière fin de semaine d'octobre.

À la fin de la session, le dimanche soir, je me sens insatisfaite: non seulement je n'ai rien dit de ce pour quoi je consulte mais je réalise en plus que je ne suis pas capable de prendre ma place dans un groupe; je reste donc sur mon appétit et seule. Comme l'atelier se tient tout près du domicile d'Alain, je passe près de chez lui et je vois son auto. En arrivant chez moi, je téléphone pour lui demander de le rencontrer. Pas de réponse. J'imagine qu'il a débranché son téléphone pour avoir la paix. Ce n'est pas la première fois que je constate que, en dépit du fait que son auto soit chez lui, il ne répond pas à mes appels téléphoniques. Encore une fois, je trouve ça frustrant.

Après ma session de fin de semaine, j'attends le téléphone qui m'annoncera le début de mes rencontres de thérapie individuelle avec Lamontagne. Même si je dois patienter quelque temps, ce n'est pas grave : je sais que j'aurai quelqu'un à qui je pourrai parler de mes difficultés et un psychologue qui pourra m'aider dans ma relation avec les hommes, plus précisément avec Alain.

## Je prends une nouvelle orientation professionnelle

Au début de novembre 1978, je m'inscris à cinq cours de psychologie. Je sais déjà dans quel domaine je travaillerai : je ferai de la psychothérapie avec des adultes. Je sens que rien ni personne ne pourra me faire changer d'idée.

J'annonce à Louis ma décision de faire un baccalauréat et une maîtrise en psychologie à l'Université Laval. Louis m'annonce qu'il songe à mettre un terme à nos rencontres.

Louis dit qu'il n'est plus bien avec moi, qu'il se sent tiraillé entre sa femme et moi. Il ne voit pas d'évolution possible de notre relation. Je suis déçue. Je trouve la rupture d'autant plus difficile qu'elle arrive à un moment où je n'ai pas d'emploi et je ne suis pas aux études ; mes contacts sociaux sont très réduits et la possibilité d'en établir de nouveaux est encore plus réduite, car je cache le fait d'être « sur le chômage ». Toutefois, je sens que je ne peux aller plus loin avec lui. Moi aussi je me sens tiraillée... entre Alain et lui.

Je ne veux pas demander à Louis de divorcer : d'une part, je ne veux pas me sentir responsable de son choix et, d'autre part, je ne me sens pas prête à vivre une relation stable avec lui. Depuis le début de nos rencontres, Louis représente l'homme non disponible, heureux dans sa relation de couple « ouverte », qui m'accorde plus de temps que ne le fait Alain et qui partage avec moi ses activités sportives. Je ne peux pas le substituer à Alain. Qu'arrivera-t-il si Alain réalise que j'ai fait suffisamment de chemin pour devenir intéressante à ses yeux ? Ne m'a-t-il pas dit, un jour que je lui parlais de mon goût de vivre une relation stable avec lui, que j'avais « des croûtes à manger » ? Je dois garder sa place libre pour le jour où j'aurai mangé mes croûtes. Et ce peut être très bientôt puisque, maintenant, j'ai décidé de retourner en thérapie. Mais rien de tout cela n'est communiqué à l'autre. La rupture entre Louis et moi s'échelonne donc sur plusieurs semaines.

Alain est toujours là! À lui, j'annonce fièrement ma décision d'étudier en psychologie. Il me semble un peu surpris et il ne me questionne pas. Je ne lui donne pas plus de détails. Toutefois, je me vois avec lui comme une boîte à surprises: septembre 1977, nouvel emploi; août 1978, démission; novembre 1978, études en psychologie. Il ne sait rien de mes difficultés; je l'informe uniquement du résultat final et la décision se fête à chaque fois.

Depuis notre première relation sexuelle, je ne confie plus à Alain mes difficultés: au début, parce qu'il n'y avait plus de temps pour ces balivernes qui risquaient de polluer nos tête-à-tête puis, peu à peu, parce que je comprends que ce n'est pas ce que recherche Alain auprès de ses amis et amies. Non. Alain aime avoir du plaisir, rire, s'amuser, se distraire, oublier ses préoccupations. Si je veux demeurer au rang de ses amies, j'ai appris qu'il me faut taire ce que je vis de pénible. Il ne sait rien de mes inquiétudes à me trouver rapidement un emploi, des difficultés que j'y ai rencontrées; il ignore ce qui m'amène à consulter un deuxième psychologue et il ne se doute pas de mes hésitations à retourner aux études. Il en sait encore moins sur toutes les remises en question que m'amène la rupture avec Louis.

En effet, la rupture avec Louis signifie la fin de relations sexuelles fréquentes. Je ne vois plus la nécessité d'utiliser un contraceptif comme la pilule; je cesse donc de la prendre et je me dis qu'un arrêt me fera du bien et que, de toutes façons, je ne pourrai pas prendre la pilule jusqu'à ma ménopause. Je songe donc à d'autres méthodes de contraception, ce qui m'amène à me demander si je désire ou non avoir un enfant.

Pour la première fois de ma vie, j'entreprends des études en vue d'un travail que je choisis vraiment et dans lequel j'ai le goût d'investir. Ces études doivent durer cinq ans, après quoi je devrai me monter une clientèle avant de penser être financièrement autonome. Mon autonomie financière est très importante. Il n'est pas question pour moi d'avoir un enfant avant que je ne sois financièrement autonome, même à l'intérieur d'une relation stable avec un conjoint qui, lui, le serait. Mes expériences personnelles et mes observations m'incitent à avoir une sécurité financière avant de mettre au monde un enfant. J'envisage pouvoir obtenir cette sécurité financière autour de la quarantaine. C'est, à mon avis, un peu tard pour décider d'avoir un enfant. De plus, aurai-je le goût et le temps d'investir dans un enfant alors que mon travail sera intéressant ? J'ai la nette impression que la réponse sera négative.

Il m'apparaît alors que je dois faire le choix entre faire carrière ou donner naissance à un enfant. Je choisis la carrière. Je me ferai ligaturer les trompes au début de l'année prochaine, le temps de mûrir ma décision.

## Une fin de semaine à deux

Avant mon retour aux études, je vends tous les objets dont je ne veux plus et je planifie quelques sorties. Une journée, je vais à Baie St-Paul et je fais le tour des auberges. L'idée me vient de proposer à Alain de passer une fin de semaine ensemble dans une auberge qui me plaît. Il accepte. C'est la première fois qu'Alain consent à sortir en public avec moi, à me rencontrer ailleurs que chez moi ou chez lui. Je suis contente. Je suis fière. Je m'occupe des réservations pour la fin de novembre.

Nous partons un vendredi soir, vers dix-huit heures. À notre arrivée à l'auberge, Alain signe le registre de la manière suivante :

Nom : Alain et Lyse Frenette
Adresse : Québec
Signature : Alain Frenette

Surprise de le voir signer Alain Frenette, je lui demande pourquoi il fait ça. Il rit et, d'un mouvement de la bouche, il me signifie que ce n'est pas important, que c'est amusant. Étonnée, je ne vois pas ce qui peut l'amener à signer Frenette au lieu de Choinière. L'idée m'effleure l'esprit que, même s'il a accepté de se montrer avec moi, il ne veut vraiment pas être identifié ou reconnu : en signant de cette façon, son nom n'apparaît nulle part.

Les bons moments avec Alain, ceux où je me sens détendue, sont des moments passés à boire et à faire l'amour. Le reste du temps, je me sens tendue : je ne sais pas comment «être» avec Alain. J'ai l'habitude de me retrouver avec lui pendant de courts moments où j'ai toute son attention, où je suis très souvent collée sur lui. Qu'est-ce qui arrive quand ces moments se prolongent ? Je ne peux quand même pas rester collée à ses côtés, de demi-journée en demi-journée. Je réalise que je ne connais pas cet homme. Je ne connais pas son rythme. Je ne connais pas ses activités. Je ne connais pas ses goûts. J'ai l'impression d'avoir affaire à un inconnu face auquel je n'arrive pas à me situer. J'ai l'impression qu'il me faut composer avec le peu que je sais de lui et avec cette grande part d'inconnu.

Au retour de ma fin de semaine passée avec Alain, dimanche soir, j'ai le même sentiment que celui que j'ai eu après ma session avec Lamontagne. J'ai l'impression qu'il y a quelque chose d'inachevé. Je veux aller plus loin et je reste sur mon appétit. Alain ne vit pas du tout la même chose ; sa carte en témoigne :

Lyse,

Merci pour tant de

joie et tant de plaisirs.

Alain.

Je suis contente qu'il soit si satisfait. Contente au point d'en oublier ce que moi j'ai vécu d'insatisfaction.

## J'entreprends une thérapie de groupe

Au cours de la semaine, je reçois un appel du bureau de Lamontagne pour me dire qu'il n'y a pas de place en thérapie individuelle mais qu'il y a une possibilité de m'intégrer à un groupe car une participante s'est désistée. Il s'agit d'un groupe de gens au-dessus de vingt-cinq ans, cinq hommes et cinq femmes. Je suis tellement déterminée à faire quelque chose pour être mieux que j'accepte sur le champ, avec plaisir.

Dès la première rencontre, je réalise que les participants et participantes ont un vécu commun : le groupe et le thérapeute reviennent d'une fin de semaine passée ensemble à Portneuf. Je ne sais pas ce qui s'est passé là-bas, mais je comprends, par de brèves allusions, que celle que je remplace a quitté le groupe, choquée, en désaccord avec ce qui s'y est passé. J'ai l'impression qu'il existe une certaine liberté sexuelle dans le groupe. J'en ai peu à peu la confirmation dans les jours qui suivent par un des participants.

À voir cette liberté sexuelle, je me fais la réflexion que, moi, je suis bel et bien «poignée», que j'attache vraiment trop d'importance au sexe et que c'est à moi de briser ma tendance à vouloir posséder l'autre afin de ne plus souffrir dans ma relation avec Alain. Le 2 décembre 1978, j'écris dans mon journal:

> Voici ce que j'ai à travailler:
> je suis docile,
> j'ai peur de dire quand ça va mal,
> je suis incapable d'exprimer de l'agressivité
> aux gens que j'aime,
> tout ça parce que j'ai peur d'être rejetée.
> Par contre, je suis _tenace_ en maudit
> au point de m'écraser, de me détruire.
> Quelle belle qualité!

Cette liberté sexuelle me fait peur. Je ne sais pas où ça va me conduire: si les participants m'approchent, me sentirai-je obligée de faire comme les autres pour ne pas avoir l'air pudique ou niaiseuse, serai-je capable de refuser au risque d'être rejetée du groupe? Et qu'arrivera-t-il de ma relation avec Alain?

Quelques jours après avoir «cédé» à un participant, je téléphone à Alain. J'ai besoin de le voir, j'ai besoin de me rassurer, j'ai besoin de savoir si je l'aime encore, s'il est aussi important pour moi. Ce soir-là, le 11 décembre, je l'invite à passer la nuit chez moi. Et je suis rassurée car je me sens très passionnée en faisant l'amour avec lui. Il n'y a pas de danger: Alain est toujours aussi important pour moi. Je serai là le jour où il décidera que j'ai fait assez de chemin et que je suis intéressante pour lui.

## Des symptômes préoccupants

Au cours de ce mois de décembre, je me surprends à être très excessive. Un jour, me sentant agressive, je recule rapidement mon auto de mon garage et j'entre en collision avec une autre auto que je n'ai pas pris le temps de voir venir. À une autre occasion, alors que mon auto est au garage pour des réparations et que je dois faire toutes mes courses à pied, je vais acheter une grosse oie pour le souper de Noël et je la rapporte dans mes bras. À mon arrivée, je suis épuisée, je suis découragée. Un rien de plus et je m'écraserais sur place et je pleurerais à chaudes larmes. J'ai des nausées, j'ai souvent sommeil et ce qui m'inquiète le plus, c'est d'avoir les seins sensibles. Le soir de Noël, je reçois à souper mes parents, ma sœur, son mari et mes deux neveux. Alors que je prépare le souper, dans la cuisine, eux regardent le ballet Casse-Noisette à la télévision, dans la pièce voisine. À un moment donné, je jette un coup d'œil dans l'autre pièce : tous se sont assoupis, sauf mes deux neveux. Encore là, je m'écraserais sur place et je pleurerais à chaudes larmes.

Quelques jours après Noël, je prends ma sœur à part ; je lui parle de mes symptômes et du léger retard de mes menstruations. Je lui dis :

— Si jamais je te téléphone pour te dire que je vais à Montréal, tu sauras que c'est pour aller chez Morgentaler me faire avorter, car je ne veux pas d'un enfant.

Mes menstruations retardent toujours. Je prends des bains chauds et je bois du vin chaud dans l'espoir qu'elles commenceront. Sans résultat. Je suis découragée. Le 28 décembre, j'écris dans mon journal :

> Je mourrais cette nuit et je ne serais pas déçue du tout. Ça ne me ferait rien. Je me sens très seule, très abandonnée et je n'ai aucune raison de vivre plus longtemps. Personne n'a de responsabilité face à ma mort. Personne n'a à vivre de culpabilité. Pendant toute ma vie j'ai été incapable de communiquer ce que je ressentais.

Incapable de communiquer ce que je ressens. Incapable aussi de trouver des gens à qui communiquer ce que je ressens. Je croyais bien pourtant que le fait d'avoir été capable de le faire avec Alain suffirait à m'aider en ce sens. Non seulement je ne le fais pas avec d'autres, mais maintenant je m'abstiens de le faire avec lui. Je suis encore plus isolée.

Les jours passent. J'ai hâte de changer d'année, de commencer une autre année. J'ai surtout hâte de savoir si, oui ou non, je suis enceinte. Mes menstruations retardent toujours. J'ai encore les mêmes symptômes. De plus, lors d'une randonnée de ski avec une amie, j'ai tellement les jambes molles que je tombe une quinzaine de fois. Elle se doute, elle aussi, que je suis enceinte.

Le 2 janvier, je téléphone à cette même amie pour lui dire que rien n'a changé. Elle me donne le nom d'un médecin qu'elle connaît et qu'elle sait ouvert à l'avortement. Je prends rendez-vous avec lui pour des examens et un test la journée même. J'en parle aussi à une autre amie. Je ne suis plus seule. J'ai deux amies qui partagent mes craintes et le médecin a été très compréhensif.

Le lendemain, je téléphone à Alain. Je lui dis que je crains d'être enceinte et je commence à pleurer. Je lui dis que j'attends les résultats et que je ne veux pas avoir d'enfant. Il me dit de le rappeler dès que je le saurai et ajoute:

— Quelle que soit ta décision, je vais t'aider.

Je suis très émue parce qu'il me laisse décider et parce qu'il m'offre son aide, peu importe ma décision.

Je téléphone alors à l'hôpital pour connaître le résultat du test. L'infirmière me fait attendre quelques instants puis elle m'annonce que le test est «positif». Je la remercie et raccroche lentement.

Je suis soulagée. Et je reste bouche bée. Soulagée de savoir et de pouvoir agir en conséquences. Bouche bée devant la tournure des événements. Assise sur ma chaise, à côté du téléphone, je prends le temps de voir l'effet qu'a en moi ce mot, «positif»: je ne ressens ni joie, ni peine. Surtout du soulagement et un peu de surprise. Après avoir ressenti tant de peur et d'agressivité, voilà que je me sens calme. Je suis étonnée de constater à quel point ce résultat «positif» me laisse calme alors qu'il m'aurait transportée de joie sept ou huit ans auparavant. À ce moment-là, je désirais vivement avoir un enfant: je souhaitais devenir enceinte, je pleurais parfois à l'arrivée de mes menstruations et je me sentais dévalorisée de ne pouvoir avoir d'enfant. Comme c'est étrange! J'ai désiré avoir un enfant, je n'ai pris aucun contraceptif pendant six ans et je ne suis jamais devenue enceinte. Et voilà que je ne désire plus avoir d'enfant, j'abandonne pendant un mois la pilule en vue d'une ligature des trompes et je deviens enceinte. Et de plus, à un moment où je n'ai aucune sécurité financière, professionnelle et affective. Non! Il n'est pas question que je renonce à mes études. Il n'est pas question qu'un être que je n'ai pas désiré vienne m'empêcher de faire ma vie comme je l'ai décidé. Il n'est pas question que je m'occupe seule d'un enfant et que j'en vienne à demander du bien-être social : recevoir des prestations d'assurance-chômage est déjà assez humiliant.

Tel que convenu, je téléphone à Alain et l'informe du résultat du test et des démarches à entreprendre pour me faire avorter. Il s'offre pour m'accompagner et précise que s'il faut aller à Montréal, ce sera plus facile pour lui vendredi.

Je téléphone au médecin que j'ai déjà rencontré afin de lui demander conseil pour me faire avorter le plus tôt possible, car mes cours commencent le lundi suivant. Il me suggère alors de faire mes démarches à Montréal et me donne trois noms d'hôpitaux anglophones. Je fais ces démarches, mais les délais sont trop longs. Je décide alors de téléphoner à la clinique du Dr Morgentaler. J'explique ma situation, je demande s'il y a une possibilité d'être reçue dès le vendredi ; il y a effectivement une place disponible en fin d'après-midi. J'accepte la proposition puis j'annonce la nouvelle à Alain. Nous convenons de partir après l'heure du lunch, vendredi.

En moins d'une matinée, tout est donc décidé. Je suis soulagée. Dans les jours qui suivent, je parle de ma décision à mes deux amies et j'avertis ma sœur que je vais à Montréal. À aucune cependant, je ne révèle le nom du père. Je mentionne tout simplement que celui avec qui c'est arrivé a accepté de m'accompagner. Je trouve Alain assez bon de m'aider que je ne suis pas à l'aise de révéler son nom de peur de le compromettre.

## La clinique du Dr Morgentaler

Le premier vendredi de janvier 1979, nous partons en début d'après-midi pour Montréal, dans l'auto d'Alain. Il est convenu que nous payons chacun 100 dollars pour l'avortement ; de plus, je défraie en entier le coût du billet d'avion pour revenir à Québec le soir même.

En entrant dans la clinique, je suis surprise de voir autant de gens dans la salle d'attente. J'apprécie alors davantage la présence d'Alain. Je ne suis pas seule parmi tous ces gens. Je suis avec lui. Il m'aide à remplir les papiers d'usage et, alors que je me fais avorter, je sais qu'il est là et qu'il m'attend. L'avortement se fait sans douleurs : je suis calme, le médecin me parle et l'infirmière me tient la main. Je passe dans la salle de repos. Le médecin et l'infirmière viennent s'informer de mon état et celle-ci me lit certaines directives à suivre en cas de douleurs ou d'hémorragie. Je suis soulagée. Je suis heureuse de voir ce cauchemar terminé. Je remercie Morgentaler et vais rejoindre Alain avec ma feuille de directives. J'exprime aussi à Alain mon soulagement et nous partons vers l'aéroport.

À l'aéroport, Alain m'invite à souper. J'ai terriblement faim. Il y a un buffet et je me sers à trois reprises. L'atmosphère est très détendue, suffisamment pour rire tout en mangeant.

Après le souper, Alain m'accompagne au comptoir de la compagnie aérienne. Là, il aperçoit un homme qu'il connaît et, visiblement heureux de le rencontrer, il s'avance vers lui. Je me retire discrètement. Je n'ai pas envie de rencontrer quelqu'un que je ne connais pas et aussi, je me dis que c'est préférable qu'Alain ne soit pas vu en ma présence : comment pourrait-il me présenter ? Une ex-cliente ? Une amie ? Sa maîtresse ? Alain salue cet homme et revient vers moi. Il me dit :

— Tu aurais dû venir, je t'aurais présenté un bon ami.

Je ne réponds pas et me fais la réflexion : «Franchement, il exagère ; je n'ai pas du tout le goût de rencontrer un étranger, qu'il soit ou non son ami.»

Le voyage de retour se fait paisiblement. Je trouve bon de rentrer chez moi, seule, dans le silence extérieur et dans le calme intérieur. Après une nuit de repos, je déjeune et je sors marcher dans la neige. Il a neigé. Tout est blanc. Il a beaucoup neigé. Tout est calme. Les autos ne circulent plus et je marche tranquillement dans les rues. J'éprouve une sensation de bien-être : une harmonie intérieure qu'apporte une décision prise en accord avec ce que je veux et en accord avec ce que je ressens être bon pour moi.

À son retour, le dimanche soir, Alain me téléphone et s'informe de ma santé. Je lui dis que je me sens très bien et que je suis soulagée. Il me dit alors qu'il a beaucoup pensé à moi ; je le sens inquiet et j'ai l'impression qu'il ne se trouve pas correct de m'avoir laissée partir seule en avion. Moi, je trouve merveilleux qu'il m'ait accompagnée, ait payé la moitié du coût de l'avortement, m'ait invitée à souper et soit venu me reconduire à l'avion. S'il m'avait offert de revenir de Montréal avec moi, je ne l'aurais pas accepté. J'aurais alors considéré que c'était trop. J'aurais eu l'impression d'abuser de lui.

Je suis tellement peu habituée à recevoir de l'attention, de la considération et de l'aide que le moindre geste de bienveillance à mon égard prend une ampleur démesurée. Recevoir de l'aide éveille en moi toute une gamme de sensations et d'émotions : je sens monter une chaleur qui m'envahit, me met en contact avec un manque profond qui me donne le goût de me faire prendre par l'autre... d'où la peur de trop demander, d'abuser. Et la peur aussi d'être envahie, de me perdre.

En ce début d'année 1979, je reçois beaucoup d'aide : tant de la part de mes deux amies que du médecin de Québec, d'Alain, de Morgentaler et des infirmières de la clinique. Lors d'une rencontre du groupe de thérapie, Marcel Lamontagne m'incite à communiquer ma décision aux membres ; je le fais et je commence à pleurer. Je pleure car je suis touchée de recevoir autant d'aide. Les gens ne comprennent pas ; ils croient plutôt que je pleure parce que j'ai de la peine de m'être fait avorter. Par la suite, je clarifie ce malentendu avec certaines personnes mais j'ai l'impression qu'elles ne saisissent pas davantage ce que je vis ; ou bien, elles ne me croient pas. Et pourtant, c'est ce que je vis et je le sens très clairement.

Au retour de Montréal, après mon avortement, je décide de suivre à la lettre les conseils du médecin et de me reposer. Non seulement je ne veux pas avoir de complications mais je veux être en forme car je commence les cours de psychologie et je veux avoir d'excellents résultats pour être assurée de mon inscription au baccalauréat en psychologie à l'automne 1979. Je suis déterminée à mettre toutes les chances de mon côté pour réussir mes cours et j'entends me protéger en évitant toutes formes de violence. Ainsi, à la fin de janvier, lors d'une session d'une fin de semaine en bio-énergie, je mentionne, sur le questionnaire pré-session, que j'ai eu un avortement en début janvier car je veux m'éviter certains exercices violents qui pourraient amener des complications. J'ajouterais même que j'entends me protéger «en étouffant» toutes formes d'agressivité.

Ce soir, 21 février, je téléphone à Alain parce que j'ai envie de lui parler, de le voir, de le serrer dans mes bras. Quand il me dit qu'il doit sortir, je me sens frustrée, mais pas choquée: ce qu'il a à faire me paraît important et je l'accepte. Il doit me téléphoner demain matin. Je n'ai pas envie d'être agressive avec lui, mais près de lui.

Le lendemain, Alain me téléphone. Tout se passe sans heurt ni rupture. Je me dois maintenant de le croire dans tout ce qu'il me dit: s'il a quelque chose d'important, je n'en doute pas; s'il va voir ses enfants, je le crois; s'il sort avec des ami(e)s, je l'accepte. Je ne veux plus éprouver du doute, de la méfiance et de la frustration. J'ai de la difficulté à vivre son manque de disponibilité. Mais je sais que si je lui en glisse un mot, ou si j'insiste pour le voir davantage, il s'éloignera et je n'aurai plus de ses nouvelles. Parfois je n'en peux plus et j'essaie de rassembler toutes mes forces pour réussir à parler, clarifier et faire un choix. Au début mars, j'écris:

Ma décision, celle de voir ou de ne plus voir Alain, doit partir de moi et non de lui. Même si je sais très bien qu'il ne m'aime plus et ne tient plus à me voir, je dois aussi tenir compte de moi. Je vais essayer de voir toutes les possibilités:

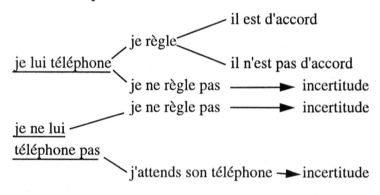

Je vais lui téléphoner et lui dire que je veux régler mes affaires avec lui: il me rejettera ou non, mais j'aurai au moins réglé mes affaires et je ne serai plus dans l'incertitude. Je vais lui téléphoner demain matin de bonne heure.

## Attente et tourments

Je téléphone à plusieurs reprises mais je ne réussis pas à le rejoindre. Dans les jours qui suivent, je reçois une carte postale de Kellington, datée du 8 mars 1979:

Mardi soir

Il fait aussi chaud que chez nous. Nous comptons sur du froid et de la neige pour remplacer la pluie. Je me repose.

Alain

Et c'est suffisant pour me faire attendre avec hâte le retour d'Alain.

Au cours de ce trimestre, toutes mes énergies sont accaparées par mes études universitaires et par ma thérapie de groupe. Je veux être admise au baccalauréat en psychologie en septembre 1979 et je sais qu'il n'en dépend que de moi, ou plutôt, de mes résultats académiques. De plus, comme je désire faire de la psychothérapie en pratique privée, je considère fondamental d'arriver à voir clair dans ce que je vis. Et je n'y arrive pas.

Je suis constamment tiraillée entre la joie de voir Alain se rapprocher de moi et la frustration et la peine de le voir s'éloigner de moi en m'évitant ou en allant vers d'autres femmes. Ma colère naissante oscille entre des fantasmes de vengeance et des idées suicidaires. Je prends alors la ferme décision de le laisser. Arrive une carte postale, un coup de téléphone ou une invitation à souper-coucher et... ma ferme intention disparaît. J'ai à nouveau l'impression qu'il s'intéresse à moi et qu'avec un peu de travail sur moi en thérapie, il finira par m'aimer «assez» pour décider de vivre avec moi.

## Que se passe-t-il pour que je sois aussi tourmentée?

D'une part, mon avortement a provoqué un rapprochement entre Alain et moi: les conversations téléphoniques ont été plus fréquentes et plus régulières; il m'a accompagnée à Montréal et, comme j'ai senti une certaine bienveillance à mon égard, je l'ai interprétée comme une preuve d'amour.

D'autre part, tout ce que je vois dans le groupe de thérapie me remet constamment en question: j'ai appris que le thérapeute était impliqué sexuellement avec une participante qui, elle, me semble tout à fait à l'aise dans ce genre de relation. J'ai donc l'impression que si je souffre tant dans ma relation avec Choinière, c'est parce que je suis trop poignée, trop possessive, incapable de clarifier ce qui se passe et d'exprimer mon agressivité. J'en suis tellement convaincue que pas une seule fois je ne parle de ce pour quoi j'ai voulu commencer une thérapie: j'ai trop honte, je me trouve niaiseuse.

Et pourtant, tout ce que je vis dans ma relation avec Alain est très présent et très intense. Alors que, depuis septembre 1977, j'écris surtout mes rêves et je décris un peu mon quotidien, à partir de janvier 1979, c'est l'inverse: je parle continuellement de mon quotidien et je raconte à peine quelques rêves. Et il est surtout question de ce que je vis avec Alain.

## Ma perception des hommes... et des femmes

Au cours des rencontres du groupe de thérapie, je réalise que j'ai de la difficulté à gérer ma relation avec les hommes. Quand un homme me fait des avances, je ne sais comment agir: je me dis que j'ai dû l'exciter sans trop m'en rendre compte et qu'il me faut maintenant aller au bout sinon je passerai pour une séductrice. Au cours de ces mêmes rencontres, je modifie peu à peu ma perception des femmes. Je connais, entre autres, des femmes très humaines, sensibles, capables de parler de leur vécu, d'exprimer leurs émotions et de s'affirmer. Je réalise que si j'ai voulu consulter un psychologue plutôt qu'une psychologue c'est que j'étais incapable de faire confiance à une femme et de la considérer comme pouvant être compétente. Ce changement de perception est très important pour moi.

En avril 1979, les rencontres du groupe se terminent. Comme je ne me sens pas mieux, je décide de continuer en thérapie individuelle... avec Marcel, car je n'ose lui dire que j'aimerais consulter quelqu'un d'autre. Il accepte. Peu de temps après le début de ma thérapie individuelle avec lui, j'apprends que Marcel est un grand ami d'Alain. Je ne parlerai jamais à Marcel de ce que je vis par rapport à Alain.

En avril 1979, mes cours se terminent également. J'annonce fièrement à Alain que j'ai obtenu cinq «A». Ensemble, nous fêtons ma réussite. Mes résultats me convainquent que je serai admise officiellement au baccalauréat en psychologie. Déterminée à faire mes études dans le plus bref délai possible, je m'inscris à la session d'été qui se tient pendant les mois de mai et juin.

## Solitude et désillusion

Ma vie baigne dans la psychologie : d'une part, je vais à mes cours, j'étudie, je lis des livres de psychologie et je côtoie des étudiant(e)s de psychologie; d'autre part, je vais à mes séances de thérapie, j'écris mon journal et je revois parfois des membres du groupe de thérapie. Cependant, je ne me sens pas bien et je ne suis pas satisfaite de ma vie :

> Moi je suis toute seule. Je suis revenue de l'Université, découragée. Découragée d'avoir à passer une soirée toute seule. J'ai envie de sortir, de m'amuser. Au lieu de ça, je me ramasse ici toute seule. Je ne sais pas ce qui se passe. Pourquoi suis-je toute seule, pourquoi n'ai-je pas d'ami(e) avec qui sortir? Je sens une grosse boule dans mon estomac, je sens ma gorge sèche. Je n'ai pas dîné, je n'ai pas soupé et pourtant je n'ai pas faim. J'ai une immense tristesse en moi. C'est comme si j'avais longtemps désiré quelque chose et que je réalisais de plus en plus chaque jour que ce que je veux ne se réalisera jamais. Je suis désillusionnée. J'ai crû en l'amour, en la sincérité. J'ai crû qu'on m'aimait et il n'y a rien là. J'ai construit des images de ce qu'était la vie. Mais ce n'est pas la vie. J'ai idéalisé les gens, j'ai crû en ce qu'ils me disaient. Encore là, ce ne sont que des images. Alain est une grande image. Ce n'est pas lui. Alain est tout autre que je ne l'avais imaginé. C'est lourd et ça fait mal de réaliser que de tout ce que j'ai imaginé, rien n'est vrai, tout est faux, tout est illusion. (15 mai)

C'est curieux comment je me sens ce soir. C'est comme si tout était pêle-mêle dans ma tête, c'est comme si tout se bombardait. J'ai l'impression que tout est mêlé. Je voudrais sortir, me mêler aux gens et je suis ici; je sens beaucoup d'énergie en moi, je voudrais faire plein de choses et c'est comme si j'étais bloquée. Je voudrais me retrouver avec du monde et je suis poignée avec moi. Je n'arrive pas à saisir ce qui se passe. Et ça m'inquiète... Je voudrais pouvoir trouver un commencement, mettre des mots sur ce que je ressens afin d'en parler à Marcel. Je ne sais pas. C'est comme si tout s'entremêlait. (19 mai)

Par contre, je suis tellement décidée à m'en sortir que je ne rate pas une occasion qui s'offre à moi de m'aider. Marcel me parle d'abord d'une session intensive de relaxation et je m'y inscris. À la même période, il me parle également d'une fin de semaine de massage et j'y participe aussi. À la mi-juin, je termine mes séances de thérapie avec lui, non sans lui avoir fait part de mon désir de consulter «une» psychologue, à l'automne.

## Un congrès frustrant

Au début de juin, Alain me téléphone pour me demander de travailler pendant les trois jours de la tenue du congrès de l'Association canadienne de psychologie. J'accepte avec plaisir, voyant l'occasion de gagner un peu d'argent et de rencontrer Alain quelques jours.

Le premier jour du congrès, je constate que, encore une fois, je me suis illusionnée: clouée derrière une dactylo, j'ai à peine droit à un salut à son passage. Je le vois discuter sérieusement avec des gens et je me sens moins que rien: avec moi, il ne discute pas; je me vois à ses yeux comme une simple petite étudiante qui n'a même pas encore reçu son admission officielle en psychologie et qui a accepté à la dernière minute de le dépanner au taux de quatre dollars de l'heure. J'ai l'impression de m'être fait avoir.

Le deuxième jour du congrès, en fin d'après-midi, Alain me glisse à l'oreille qu'il y a un bar ouvert dans une chambre de l'hôtel. Encore là, je crois à une invitation personnelle camouflée. Je me rends à la chambre. Tout en bavardant avec d'autres, je le surveille du coin de l'œil afin d'aller souper avec lui. Il me propose enfin ce souper... avec lui et plusieurs autres. Après le souper, nous buvons et dansons. J'ai beaucoup de plaisir à danser des rocks avec un homme qui a le sens du rythme; mais j'invite Alain à deux ou trois reprises pour danser des slows au cours desquels j'essaie, tant bien que mal, de le serrer discrètement. Au moment de quitter les lieux, Alain s'approche de moi et me dit qu'il ne peut pas m'accompagner car il a promis à une amie de fêter ses trente ans avec elle. Avant même que j'aie le temps de réagir, Alain me présente un de ses amis, l'homme avec qui j'ai dansé des rocks. Je pars avec lui et je suis le groupe dont font partie Alain et l'amie aux trente ans. Le groupe se retrouve autour d'une table dans un restaurant. Je n'ai jamais vécu ce genre de situation: tout près de l'homme que j'aime alors que lui est avec une autre femme et moi avec un autre homme. Je suis mal à l'aise et je ne sais pas comment agir. Je parle avec Luc, mon danseur de rocks, sans oser m'adresser à Alain ou même jeter un coup d'œil dans sa direction. Au moment de nous séparer, je regarde s'éloigner Alain et son escorte. J'ai mal. Je souffre. Ainsi, il m'a téléphoné à la dernière minute pour gagner quatre dollars/heure et le voir partir passer la nuit avec une autre psychologue! Il se rit de moi. Je me sens moins que rien.

J'aimerais bien parler de ce que je vis avec quelqu'un. Mais il n'y a personne. J'aimerais dire à Alain comment j'ai vécu le fait de le voir partir avec une autre femme et moi avec un de ses amis. Mais il n'est pas là. Et pourtant, c'est important. C'est la première fois que nous vivons cette situation. J'ai trouvé ça difficile. Je me suis sentie mise de côté, rejetée. Je suis inquiète. Alain m'aime-t-il encore? Je resterai plusieurs semaines avec cette question car Alain est déjà parti assister à un autre congrès dans l'Ouest canadien. J'apprends que Luc, l'ami qu'Alain m'a présenté au congrès, est marié et père de trois enfants.

À la fin de ma session de cours d'été, autour du 24 juin, je pars seule pour des vacances de camping. Heureusement, j'apporte mon journal.

Il devient vite évident que ce qui s'est passé pendant le congrès a fait déborder le verre: les quatre dollars/heure, l'amie aux trente ans et l'ami marié. Le 1er juillet, j'écris:

> Je ne veux plus vivre ce genre de relation où j'ai l'impression d'être un accessoire secondaire, un objet de luxe, un à-côté qu'on se permet de temps à autre. J'aimerais vivre une relation suivie avec un homme.

## Je décide de rompre

Le 4 juillet, je raconte un rêve qui met en scène Alain:

> Dans mon rêve, je réussis à rejoindre Alain au téléphone par un numéro secret que j'ai pu obtenir sans difficultés. Quand je lui parle il dit: «Tu ne trouves pas que tu pousses dans la côte?» Il a l'air en maudit que je l'appelle avec ce numéro. Je ne réussis pas à m'expliquer; je parle avec lui et l'invite à aller voir un ami. Il me répond rapidement «non» très sèchement. Il est obligé de venir me porter un chèque. Il vient. Je le sens tendu et très distant. Il se tient physiquement loin et a même un mouvement de recul au moment où je m'approche de lui. Je reste à ma place. Je le regarde en ayant envie de lui dire: «N'aie pas peur, je ne te sauterai pas dessus, je ne te mangerai pas.» Ce que je retiens c'est «tu m'écœures avec ta peur de te faire posséder.»

Après ce rêve, je me réveille avec la nausée, avec le sentiment d'être de trop, d'être rejetée, de n'être pas aimée.

Les pages de mon journal écrites au cours du mois de juillet et de la première partie du mois d'août 1979 témoignent du fait que je pense très souvent à Alain et que je vis des émotions très contradictoires et très intenses.

Je suis obsédée par Alain. Chaque jour, je pense à lui. Ça me fait mal qu'il ne m'ait pas donné de nouvelles. Ça me fait très mal. Je sens qu'il ne m'aime plus, que je ne compte plus pour lui:

Je n'ai envie de rien. Je suis écœurée de vivre seule, des hommes, d'Alain. Si je pouvais vomir ce gars-là, je le ferais et ça me ferait du bien.

J'ai l'impression qu'il est en amour avec une autre. Moi, je n'existe plus. Moi, je ne suis plus dans le décor. Moi, c'est fini. Moi, c'est passé. Passé.

Je me surprends à haïr Alain. Oui, je hais cet homme. Auparavant, je n'étais pas en mesure d'évaluer son action destructrice sur moi. Aujourd'hui, je le suis. Il m'a fait plus de mal que de bien. C'est un monstre qui s'est servi de moi.

Je suis choquée de m'être autant attachée à cet homme pour qui je ne représente pas grand-chose. Je m'en veux d'avoir trop misé sur cet homme. Je ne me trouve pas correcte. Je n'ai pas envie de revoir cet homme. Je n'ai aucune envie de lui parler:

> J'ai mal au cœur. J'ai mal au cœur d'Alain. Ce gars-là m'écœure. Il se fout de moi. Quand est-ce que je vais le sacrer là? Quand est-ce? J'ai mal, je le hais, je le tuerais. Il me fait mal dans tout mon corps. Je ne veux plus avoir de contact avec lui. C'est impossible pour moi d'être neutre avec lui. Je le sais que je ne vaux rien pour lui. Je ne suis rien à ses yeux. Je le sais. Pourquoi me faire du mal avec cela? Pourquoi continuer de lui téléphoner, d'essayer de le voir? C'est ridicule de ma part. Ridicule. Et pourtant j'ai tellement mal et je pleure.

Quelques jours plus tard, tout devient clair: je ne peux plus supporter ce genre de relation que j'ai avec Alain. Je dois cesser de voir ce gars-là. Je dois rompre. Je prends donc la décision de rompre avec Alain. Vais-je lui écrire? Si je le fais, je vais devoir mettre de l'ordre dans mes idées. J'écris un brouillon de lettre dans mon journal:

> «Alain,
>
> J'ai passé une période difficile. J'ai hésité longtemps entre l'envie que j'ai, Alain, de fêter ton anniversaire et la nécessité de tenir compte de moi. En choisissant la seconde, c'est plus difficile et moins agréable sur

le coup, mais c'est beaucoup plus sain pour moi. Je suis incapable de continuer à vivre ce genre de relation moche avec toi. J'ai l'impression de piler sur moi, de ne pas tenir compte de mes besoins. C'est très dévalorisant et détériorant pour moi. Maintenant c'est fini. Laisse-moi te dire que si tu m'as beaucoup aidée, tu m'as également fait très mal. En fait, tu m'as fait plus de mal que de bien. Oui. Et si c'était à refaire, je suivrais une thérapie avec une femme plutôt qu'avec toi ou tout autre homme. J'ai été naïve, mais tu as aussi abusé de moi. Tu m'as donné de toi une fausse image. Je retiens la leçon car je ne le ferai jamais avec un client ou une cliente. Si tu as envie de me revoir c'est parce que tu auras changé. Mais c'est ridicule de parler ainsi! Tu m'as déjà dit que toi tu étais très bien dans ce genre de relation. Alors adieu.» (8 août)

Toutefois je ne lui expédie jamais ce projet de lettre. Dans mon journal, après ce brouillon de lettre, il y a une page blanche. Une page blanche qui signifie un arrêt, une transition.

## Je me fais faire une ligature des trompes

À l'été 1979, je reçois mon acceptation officielle en psychologie. Je décide donc, avant mon entrée officielle en psychologie, de me faire faire une ligature des trompes irréversible.

Mais que se passe-t-il donc pour que, de l'hôpital, après ma ligature, je téléphone à Alain et que j'aille à l'encontre de ma résolution de rompre avec lui? Je suis seule, en début d'après-midi. J'ai eu ma ligature très tôt le matin. Une seule personne sait que je suis à l'hôpital: une amie qui est venue me reconduire et qui, bientôt, va venir me chercher. Je n'ai pas parlé à Alain depuis déjà plusieurs semaines. J'ai le goût de lui parler et, sans m'arrêter pour réfléchir, je compose son numéro. Je le compose en me disant «si ça marche ça marchera, si ça ne marche pas tant pis!» Il répond. Je dis:

— Bonjour, c'est Lyse. Je t'appelle de l'hôpital.

Il y a un silence de plusieurs secondes. J'ai l'impression qu'Alain ne sait pas quoi dire. Après un instant, il me demande:

— Qu'est-ce qu'il y a?

— Je me suis fait faire une ligature des trompes.

Après notre conversation, je repense à ce silence. Se peut-il que mon appel de l'hôpital l'ait inquiété? Qu'a-t-il pu imaginer? L'idée d'une tentative de suicide lui a-t-elle effleuré l'esprit?

Je me fais la réflexion qu'il faut que je me sente terriblement seule pour avoir posé ce geste. Mais il y a aussi cette carte postale... Cette carte postale reçue au cours de l'été, la carte d'Alain qui a ravivé mes sentiments envers lui:

« Salut

C'est ici que je reste à Munich. Un bon quartier. Je profite bien de mon séjour. J'espère que tu es bien et j'ai hâte de te voir. Je pars pour le Midi de la France: j'espère un peu de chaleur qui me manque ici.

Je te serre et t'embrasse. Alain»

L'appel téléphonique de l'hôpital est suivi des retrouvailles chez lui.

## Je n'arrive pas à rompre

À l'automne, je commence un baccalauréat en psychologie. J'étudie dans le même domaine que celui où travaille Alain. Je réalise très rapidement que cette situation ne va pas sans m'occasionner des troubles émotionnels. Si Québec est un gros village, le monde de la psychologie est une petite banlieue.

Ainsi, le 14 septembre, j'ai une conversation avec une étudiante de mon âge. Elle me confie qu'elle est en thérapie avec Richard Tremblay depuis deux ans. Je lui confie à mon tour que j'ai suivi une thérapie individuelle avec Alain Choinière. C'est alors qu'elle me dit qu'elle a traversé une période difficile à cause d'un transfert positif. Cette phrase a l'effet d'une bombe sur moi: elle, elle a vécu un transfert positif et son psychologue a pu continuer à la rencontrer sans qu'il ne se passe quoi que ce soit d'autre avec elle. Je pense à

Alain, au transfert positif que j'ai moi aussi vécu avec lui. Et je me dis que moi je n'ai peut-être pas encore traversé ce transfert positif.

Tout s'entrechoque et s'entremêle dans ma tête. Et la porte se ferme lorsque cette étudiante me dit qu'elle connaît Alain et s'entend très bien avec lui. Le même soir, une autre étudiante me téléphone : elle veut rencontrer le Dr Choinière pour suivre une thérapie. Je suis inquiète. J'ai peur. S'il fallait qu'il fasse avec elle ce qu'il a fait avec moi ? Pourrais-je supporter d'en entendre parler ?

Comme je suis étudiante en psychologie, les occasions de téléphoner à Alain sont plus fréquentes : je discute avec lui de mon intention de faire partie du Comité des programmes et de travailler à temps partiel dans une maison de transition ; il s'informe de mon élection au Comité et me fournit des informations sur cette maison. À l'occasion, Alain me glisse un article sur différentes questions de psychologie ; j'en discute avec lui.

Les occasions de nous rencontrer sont aussi plus nombreuses : au début octobre, nous assistons tous les deux à la conférence que Luc, l'ami qu'Alain m'a « refilé » au congrès, vient donner à Québec ; Alain m'invite à me joindre au groupe qui va manger avec le conférencier et il paie mon repas. À la mi-octobre, j'assiste à un congrès de psychologie à Trois-Rivières ; Alain est présent. Je l'observe et je lui parle discrètement pour éviter qu'on nous remarque. Frustrée de ne pouvoir accepter son invitation à souper le samedi soir, je quitte à regret le congrès avec un groupe d'étudiants et d'étudiantes que j'avais accepté de véhiculer.

Ces occasions de toutes sortes me rapprochent d'Alain et ravivent en moi le goût de vivre une relation stable avec lui. À la fin septembre, après mon souper d'anniversaire chez lui, j'écris :

> Hier soir, j'avais hâte de voir Alain. J'essayais de ne pas trop le faire voir mais je n'étais pas bien dans ma retenue. La soirée passée chez lui a été des plus chaleureuses. Je suis tellement bien avec lui... Toutefois, au petit matin, le téléphone a sonné. Au déjeuner, encore le téléphone. Je me suis sentie en colère et triste. J'ai deviné que c'était une autre femme qui était à l'autre bout.

Après les rapprochements, commencent les inquiétudes. Un soir, je passe devant la résidence d'Alain; son auto n'est pas là. Je continue et passe chez un de ses amis; l'auto d'Alain y est stationnée. Il est là, il n'est donc pas en compagnie d'une autre femme. Je suis rassurée. Le surlendemain, je téléphone chez lui. Une femme répond. À la fois inquiète et choquée, je demande à parler à Alain dans le but de lui faire voir que j'ai une certaine intimité avec le Dr Choinière. Elle me répond qu'il n'est pas là. Désireuse de savoir si elle est une cliente, je lui demande s'il a une entrevue dans l'heure qui suit. Elle acquiesce. J'ai l'impression qu'il s'agit de sa cliente et je suis à nouveau rassurée.

Un autre soir, j'ai envie de rencontrer Alain. Je téléphone chez lui à trois reprises, sans réponse. Je passe alors chez lui et j'y vois son auto. Je téléphone à nouveau: pas de réponse. Et voilà que je remets tout en question: peut-être a-t-il rencontré une autre femme? Peut-être est-il avec elle présentement? Et s'il a eu connaissance de tous mes téléphones, s'il m'a vu passer là, peut-être est-il en maudit? Toutes ces questions me trottent dans la tête. Je n'ose pas les lui poser. J'ai peur qu'il se choque et ne veuille plus rien savoir de moi. J'ai aussi peur qu'il m'annonce ce que je ne veux pas entendre, c'est-à-dire qu'il a une autre femme dans sa vie.

À l'automne 1979, je réalise que je suis toujours dans la même situation: même si les occasions de se téléphoner et de se rencontrer sont plus fréquentes, je vis autant d'incertitude et d'ambivalence dans ma relation avec Alain. Je ne suis pas mieux qu'avant ma décision de rompre avec lui. Ainsi, à la fin octobre, j'ai l'occasion d'aller voir une pièce de théâtre avec lui. Nous rencontrons un couple dont chacun de nous deux avait séparément fait la connaissance. Moi, je vais les saluer à leur siège et Alain reste assis à son siège. Je suis mal à l'aise: a-t-il honte de moi? A-t-il honte de se faire voir avec une étudiante ou avec une ex-cliente? Et le lendemain, samedi, je trouve encore la séparation aussi pénible qu'auparavant. Je me sens désemparée. Aussi, je ne regrette pas ma décision de consulter une troisième fois. J'ai beaucoup d'attentes face à ces rencontres qui ont déjà commencé au début octobre.

## Je consulte une troisième psychologue

À l'automne 1979 il est clair, d'une part que j'ai besoin d'une thérapie individuelle et non d'une thérapie de groupe et, d'autre part, que je souhaite rencontrer «une» psychologue plutôt qu'«un» psychologue. Je crois en effet qu'une femme pourra mieux comprendre ce que je vis dans ma relation avec Alain. Sans mentionner le motif de consultation à Marcel, je lui demande de me référer une psychologue. Il me donne le nom de Suzanne Fortier. Je demande à Marcel certaines informations au sujet de Suzanne. J'apprends qu'elle est plus jeune que moi et ce fait éveille le désir de la voir avant d'avoir une première entrevue avec elle. J'assiste à un cours où Suzanne donne un exposé. Je trouve qu'elle a l'air bien avec elle-même, qu'elle semble une femme intégrée. Mes réticences face à son âge tombent et j'accepte de la rencontrer une première fois, le 5 octobre :

> Je suis très à l'aise avec Suzanne. Maudit que j'aimerais ça avoir une amie comme elle. Après l'entrevue, je me suis posé la question : «Est-ce que moi j'ai tenu compte que je pouvais ne pas cliquer avec elle?» Des fois, je crois que je cherche plus à me faire accepter et j'oublie que moi aussi je peux être une évaluatrice de l'autre. Mais avec elle, je me sens réellement à l'aise. Si ça n'avait pas marché, est-ce que j'aurais été capable de le dire? Ça c'est autre chose.

Lors de la cinquième rencontre avec Suzanne, il est brièvement question d'Alain : je prends conscience que je suis tellement habituée à me débrouiller toute seule, à tout faire moi-même, que je ne demande rien ; par contre, peu importe l'offre que je reçois, je l'accepte automatiquement comme une faveur, sans prendre le temps de l'évaluer et de voir si elle me convient. Là-dessus, je dis à Suzanne :

— Je suis comme ça aussi avec Alain avec qui je suis en relation. Je dois être moche : je n'ai rien à demander, tout fait mon affaire.

À la rencontre suivante, j'informe Suzanne qu'Alain, l'homme avec qui j'ai des relations, a été également mon premier thérapeute.

L'expression de ses yeux me laisse croire qu'elle est surprise ; elle glisse rapidement :

— Ce n'est pas la première fois.

Le ton de sa voix m'indique qu'elle est déçue. Je demande aussitôt :

— Pas la première fois avec Alain ?

— Ce n'est pas la première fois que je fais de la thérapie avec des femmes qui ont eu des relations sexuelles avec leur thérapeute.

— Tu veux dire avec des femmes qui ont eu des relations avec Alain ?

— Pas nécessairement, mais avec d'autres aussi.

— Comme avec Marcel ?

Elle acquiesce de la tête.

Cette conversation a pour effet de me mettre en morceaux. Ainsi, ce n'est pas la première fois que des femmes ont des relations sexuelles avec leur thérapeute, c'est même assez fréquent. De plus, ce n'est sûrement pas si terrible puisque Suzanne continue à être l'associée de Marcel, même si elle sait très bien qu'il lui arrive d'avoir des relations sexuelles avec ses clientes. Les conséquences ne doivent pas être si graves, sinon Suzanne cesserait d'être l'associée de Marcel. C'est moi la « nounoune ». C'est moi qui fais un plat de cet incident. C'est moi qui fais encore une montagne avec un caillou. Moi qui n'arrive pas à décrocher. À voir ce qu'il en est. À me rentrer dans la tête une fois pour toutes que je ne suis pas un cas d'exception. Que ce que j'ai vécu avec Alain, d'autres femmes l'ont aussi vécu avec lui et avec d'autres. Que tout ça n'a rien à voir avec de l'amour. Et surtout pas avec une relation stable.

Le soir de cette rencontre de novembre 1979, j'écris :

> J'ai beaucoup de peine. Avec Suzanne, ce matin, je me suis sentie comme dans un cul-de-sac, devant une impasse indescriptible. Je sens que je ne peux plus rien. Je suis devant rien. Je me sens déconfite, éparpillée en morceaux, sans force, sans énergie. C'est comme ça que je suis... Ça m'a pris environ trois ans à réaliser qu'Alain n'a pas plus envie de moi

que de la chatte à Pierre-Jean-Jacques. C'est formidable de voir toute la lucidité que j'ai. C'est fantastique! Ça fait mal une peine d'amour. Ça fait mal en maudit! Le temps va passer et je ne le reverrai plus. Je vais vivre ma peine toute seule, en thérapie. Lui va continuer sa vie puis un jour, il va me téléphoner en me disant «comment ça va? Ça fait longtemps qu'on s'est vu, quand est-ce qu'on se voit?» Et moi j'aurai pris des forces et je serai capable de lui dire qu'on se reverra quand la vie le permettra. Que moi j'ai besoin de vivre autre chose. Que j'ai eu beaucoup de peine mais que j'ai compris, que j'ai fini par comprendre qu'il n'avait pas envie d'autre chose avec moi. Et chacun de notre côté nous continuerons notre petit bonhomme de chemin!

À partir de cette rencontre, je ne suis plus à l'aise de parler de ce que je vis par rapport à Alain: je cesse d'écrire régulièrement dans mon journal et je n'en reparle plus en thérapie. J'ai honte. Honte d'avoir cru, d'avoir été si naïve, d'avoir été si tenace. Honte de ne pas avoir été capable de décrocher, de ne pas avoir été capable de me retirer de cette relation si peu satisfaisante, cause de tant de souffrances. Je me sens moins que rien.

## La colère et la haine

À partir de cette rencontre, je poursuis seule mes efforts visant à prendre de la distance par rapport à Alain. À cette fin, après Noël, je pars seule une semaine à Cuba; puis, à mon retour, dans le but d'avoir une présence, j'accepte de prendre le chaton que m'a offert un étudiant. Enfin, en mars, je consens à revoir un homme que j'ai connu à Cuba. Hélas! Mes tentatives pour prendre une distance affective face à Alain ne sont pas un succès. Un extrait de mon journal, en date du 15 mai 1980, en témoigne:

Il est 4 heures 54 A.M. J'écris dans l'espoir de me soulager. De me soulager d'un mal de tête. Je ne sais même pas par quel bout commencer. C'est à propos d'Alain. Encore une fois. Encore une fois il m'a rejetée. Je me suis sentie rejetée. Pas plus importante que toutes les autres. Pas plus importante que Marie-Claire Belleau avec laquelle je suis à peu près certaine qu'il va passer la fin de semaine à Montréal. En arrivant, j'ai jeté les fleurs qu'il m'a données lundi. Pourquoi auraient-elles plus longue vie que lui ? Lui qui est si éphémère ! Je le hais. Je le hais pour être capable de lui faire du tort. C'est fini. Je ne veux plus entendre parler de lui. Il me manipule au bout. Je le trouve écœurant. Écœurant ! Il faudrait que je me venge de lui. J'ai le goût de me venger. Je suis pleine de haine face à Alain. Je me sens tellement pleine de haine que j'écris par secousses. J'ai de la difficulté à écrire. Je ne suis pas plus détendue que je ne l'étais quand j'ai ouvert ce livre pour écrire. J'ai tellement l'impression qu'il se moque de moi. Oui, c'est l'impression que j'ai.

Que s'était-il passé pour que, tout à coup, je ressente autant de colère et de haine à l'égard d'Alain ?

Tout s'était passé la veille. Tout s'était déroulé lors de l'ouverture d'un congrès. Quelques heures avant l'ouverture, j'avais croisé Alain ; il m'avait alors demandé si j'allais à ce congrès et, suite à ma réponse affirmative, il avait ajouté : «on s'y verra». Or, il m'était impossible de lui parler : monsieur avait un «fun noir» avec une psychologue. Je les observais tous les deux et, dans ce local assez restreint, j'avais l'impression qu'ils prenaient toute la place, qu'ils donnaient le spectacle. Alain riait à pleins poumons, d'un rire nerveux qui laissait paraître de l'excitation ; il regardait Marie-Claire de façon soutenue, ses yeux brillaient ; il la touchait fréquemment. Je voyais ces mêmes gestes qu'Alain avait avec moi quand il avait envie de faire l'amour. J'étais déchirée. J'étais déchirée et humiliée. Humiliée car tout se passait également devant les yeux d'une étudiante qui savait qu'Alain m'intéressait. Il me semblait que j'avais l'air d'une espèce de folle qui s'accrochait à un gars qui, lui, s'intéressait à une autre, à d'autres. J'aurais hurlé de douleur. Les quelques remarques de cette étudiante sonnaient à mes oreilles comme «arrête donc de courir après lui, tu vois bien qu'il a d'autres femmes dans sa vie, qu'il ne s'intéresse pas du tout à toi». Je l'aurais giflée.

Je suis restée jusqu'à la fin de la réception... dans l'espoir qu'au moins, à la fin de la soirée, je puisse retrouver Alain. Mais non. Je les ai vus s'organiser, lui, Marie-Claire et plusieurs autres et ils sont partis ensemble au restaurant. Moi, je suis partie avec quelques étudiants et étudiantes. Au restaurant, je n'arrivais pas à avaler, j'étouffais de peine et de rage. C'est ainsi que dans la nuit je me suis réveillée et j'ai raconté cette soirée dans mon journal.

Cet incident est suffisamment douloureux pour me décider, une fois pour toute, à clarifier cette relation. Le temps est propice: je suis inscrite à la session d'été et je commence un cours de relations humaines. Je suis très à l'aise avec l'animatrice, j'ai deux bonnes amies dans le groupe et je dois tenir un journal de bord et pratiquer des jeux de rôle. Je profite des six semaines de cours intensifs pour clarifier ce que je vis depuis maintenant trois ans avec Alain.

Le 18 mai 1980, je résume ce que j'ai vécu au congrès dans mon journal de bord à l'intérieur du cours de relations humaines:

> Le matin de la deuxième journée de cours, j'étais «assommée», assommée par ce que j'avais vécu la veille, lors de l'ouverture du congrès. Je n'arrive pas à saisir ce qui se passe exactement. J'aime un homme qui dit m'aimer. Nous sommes bien ensemble quand nous nous voyons. Or, hier, ce que j'ai ressenti, c'est cette espèce d'indifférence, son indifférence à me faire de la peine, à me faire mal. Dans sa peur d'être possédé, dans son ardent désir d'être libre de toute attache, il semble oublier que je suis un être humain. Un être humain qui ne peut être indifférent, un être humain qui réagit par de la peine. Il me détruit. Je sens qu'il n'y a que moi qui peux réagir. Je dois réagir. Mais c'est dur, ça fait mal de couper les liens avec quelqu'un que j'aime beaucoup. Ça fait mal mais je ne suis plus capable de répondre à ses demandes; c'est trop pour moi. J'ai besoin d'autre chose. J'ai besoin d'un type de relation autre que celui qu'il veut m'offrir.

Au cours de cette même journée, je fais des lectures pour mes cours. Je pense très souvent à Alain et je pleure. Je me dis que je dois faire quelque chose, que je dois réagir, poser des actes vis-à-vis d'Alain. Je vois que toute cette affaire n'a pas d'allure, que je suis en train de me détruire. Je décide donc de rompre ma relation avec Alain et de ne pas investir de temps pour lui téléphoner ou lui écrire : mes tentatives antérieures m'ont prouvé que ça ne donnait rien.

Quelques jours plus tard, je réalise qu'il est crucial pour moi de dire à Alain ce que je vis dans ma relation avec lui. Quand le ferai-je ? Je n'en ai aucune idée. Toutefois, je prends peu à peu du recul. Au fil des jours, je commence à départager ce qui se passe dans ma relation avec Alain :

> Cet après-midi, je suis allée à ma thérapie. Il est clair que je ne prends pas assez ma place dans mes relations, y compris dans ma relation avec Alain. C'est donc ses bibittes à lui s'il me considère trop possessive. (29 mai)

Le lendemain, lors d'un jeu de rôle pendant le cours intensif, je parle à une amie de ma relation avec Alain.

> Dans le rôle d'aidée avec Anne, j'ai réalisé quelque chose d'important. Elle m'a demandé : «Comment se fait-il qu'il n'y ait qu'une seule personne qui t'ait dit que tu étais possessive ?» Je comprends alors pourquoi Alain me trouve possessive : lui, il n'a pas envie de relation suivie avec moi, et moi, j'en suis rendue au point où c'est clair que j'ai envie d'une relation stable avec un homme. Nous ne sommes plus sur la même longueur d'ondes.

## Le rendez-vous au restaurant

Enfin, le 3 juin 1980, à la pause-café, je mets en œuvre ma résolution de clarifier la situation : je téléphone à Alain et je lui demande de luncher avec moi le lendemain. Je me sens prête à lui parler et à mettre fin à ma relation avec lui.

La veille de notre rencontre, je me sens nerveuse. Je sais qu'Alain a de très bons mécanismes de défense et j'ai peur qu'il les utilise à mes dépens. Je réalise que je suis en train de prévoir ce qui se passera. Je m'arrête d'imaginer toutes sortes de scénarios. Je me parle :

je dois prendre cela comme ça vient et me permettre de réagir selon ce que je sens. Je devrai être présente à tout ce qui se passera ; je sais que c'est la meilleure façon d'agir, mais j'ai l'impression que je devrai me répéter cette phrase très souvent, avant et pendant la rencontre. J'espère bien dormir afin d'être calme. Je me couche et je me dis « merde » pour demain.

Le lendemain, j'arrive la première au restaurant « Chez Nicola ». Alain arrive et vient me rejoindre. Immédiatement après avoir commandé, j'aborde le sujet en lui disant que je veux clarifier certaines choses avec lui. Hésitante, je lui parle :

— Depuis quelque temps, je réalise que je veux vivre une relation stable avec un homme. J'aurais aimé pouvoir en vivre une avec toi mais...

Je pleure, les mots s'embrouillent. Je réussis à lui faire saisir que je sais que, lui, ça ne l'intéresse pas. À voix basse, il répond :

— Je suis incapable d'aimer.

Surprise, je me dis intérieurement : « J'aurais bien aimé le savoir avant ça ! » Je suis décontenancée par sa réaction : lui qui habituellement prend ses distances en ne parlant pas de lui, voilà qu'il me communique son admiration pour moi : il me trouve belle, il reconnaît que j'ai fait du chemin. Il est compatissant et me parle de ses faiblesses. Je l'écoute à travers mes larmes. J'avais prévu bien des réactions de sa part, mais pas celle-là. Aussi, quand il me propose, à la fin du repas, de passer une fin de semaine ensemble en guise de nos cadeaux respectifs de voyage (car nous partons l'un et l'autre en voyage pour l'été), je ne suis pas sûre de bien comprendre. Etonnée, je me dis qu'il n'a rien compris. J'ai l'impression d'avoir rêvé ou, du moins, d'avoir parlé dans le vide. Mais Alain continue :

— Ce serait une façon de terminer en beauté, de se laisser de façon agréable.

Je le regarde. Il a l'air sincère. Je me dis qu'effectivement ce serait peut-être une façon appropriée de terminer notre relation et qu'après tout, il a probablement raison. J'accepte. Nous nous entendons pour passer ensemble chez lui la fin de semaine qui suit. Et le 5 juin, voici comment je résume ce dîner :

Je suis très contente de la façon dont ça s'est passé en ce sens que j'ai pu exprimer tout ce que je ressentais et parler de mes besoins actuels. À ma grande surprise mon «beau» bonhomme n'a pas sorti ses mécanismes et ne m'a pas écrasée. Toutefois, j'en suis très consciente, j'ai des besoins de rapprochement, de relation plus suivie auxquels il ne se sent pas capable de répondre.

Ma fin de semaine avec Alain est l'un des moments les plus détendus que je vis avec lui : je n'ai plus d'attentes car je sais qu'il n'y a plus aucune possibilité de relation stable avec lui. Je considère donc cette relation terminée. Aussi, lors de la cessation de mes entrevues avec Suzanne Fortier à la mi-juin, je lui laisse entendre que je ne continuerai pas ma thérapie à l'automne. Selon moi, mon motif de consultation n'existe plus.

Je termine mon cours intensif de relations humaines à la fin juin. Je prends quelques jours de repos tout en préparant, avec mon amie Anne, un voyage d'un mois en Californie. Nous avons planifié un séjour au Center for Studies of the Person et un séjour à Esalen. Toutefois, je sens une profonde tristesse m'envahir. Le 13 juillet, quelques jours avant notre départ, j'écris :

Je suis très abattue. Comme vidée. Oui, on dirait qu'il y a un grand vide en moi, un grand trou... Je pars en voyage et je suis très triste...Je n'ai rien reçu d'Alain qui est en voyage... On dirait que rien ne m'accroche.

Tous mes espoirs de partager un jour ma vie avec Alain sont morts. Il m'a dit clairement qu'il est «incapable d'aimer». Je ne peux plus compter sur lui pour vivre ce que je veux vivre: une relation stable avec un homme. Et pourtant... j'attends encore de ses nouvelles et je suis très déçue de ne rien recevoir.

# Chapitre 4

# Les démarches fructueuses pour me retrouver

# Je fais un premier voyage en Californie

Je pars en avion pour la Californie avec mon amie Anne, à la mi-juillet. En montant à bord de l'avion à Montréal, je remarque un homme : ses yeux brun vif me rappellent ceux d'Alain ; ses cheveux et sa barbe poivre et sel m'inspirent confiance. J'imagine qu'il s'agit d'un homme mature et sage. Apparaît alors un désir. Le désir envahissant de me jeter dans les bras de cet homme, de me coller à lui, de me faire prendre, de me faire serrer par lui. Je crois vivre un coup de foudre ! J'imagine alors qu'il doit être aussi fougueux qu'Alain. Je mentionne à Anne que cet homme m'attire beaucoup et qu'il me plaît. Et j'ajoute en riant :

— Gages-tu qu'il va, lui aussi, au Center for Studies of the Person ?

C'est ce qui se confirme le 18 juillet, jour d'ouverture de l'atelier auquel nous participons. Je suis à la fois surprise et excitée d'avoir misé juste sur cet homme. J'apprends que Robert vit à Québec et qu'il est divorcé. Trop de hasards ! J'y vois une destinée.

Alors que je veux vivre depuis longtemps une relation stable avec un homme, au moment où je n'ai plus aucun espoir d'en vivre une avec Alain, voilà que je rencontre un homme disponible, vivant à Québec, qui m'attire et qui est inscrit au même atelier que nous à La Jolla en Californie. Avant même de parler à Robert, de savoir qui il est, j'ai l'impression d'avoir trouvé « celui » avec qui je partagerai ma vie.

Un premier entretien avec lui m'apprend qu'il a quelques amies de femmes. J'y vois l'indice d'un homme ouvert, comme Alain ; j'en déduis que lui aussi ne veut pas vivre une relation de couple traditionnelle, plate, monotone et aliénante, ce qui n'exclut probablement pas une relation privilégiée avec une femme. Même si la mise au point avec Alain m'a fait renoncer à l'espoir de vivre une relation privilégiée avec lui, elle ne m'a pas fait rejeter son modèle: je demeure toujours convaincue que cette relation principale doit se vivre dans un climat de liberté mutuelle, y compris la liberté sexuelle. Il s'agit de trouver «un autre homme» à l'esprit assez ouvert pour accepter de vivre ce modèle, mais «un autre homme» qui, lui, sera «capable d'aimer».

## Le Dr June Benson me donne raison

L'atelier du Center for Studies of the Person se tient du 18 au 27 juillet 1980. Au cours de ces dix jours, chaque participant fait partie d'un petit groupe variant de douze à quinze personnes. Je suis assignée dans le groupe du Dr June Benson, un des trois directeurs de l'atelier. June est une psychologue américaine collaboratrice de Carl Rogers, un des fondateurs de l'approche humaniste en psychologie.

Au cours d'une des premières séances de mon petit groupe, je parle de ma rupture avec un homme que j'aimais beaucoup et je me mets à pleurer. June me demande qui est cet homme. Je réponds que je le connais depuis plusieurs années et qu'il a été mon premier thérapeute. Elle demande d'un ton assez ferme:

— Tu dis qu'il était ton thérapeute et que vous avez eu des relations sexuelles?

Un peu mal à l'aise car j'ai encore l'impression d'avoir fait quelque chose de «pas correct», je réponds:

— C'est bien ça.

Je pleure devant les autres participants, June s'approche derrière moi et je l'entends dire:

— Ce n'est pas correct ce qu'il a fait là, c'est contre l'éthique professionnelle, un psychologue n'a pas le droit de faire ça.

Quel soulagement! C'est la première fois que j'entends ça, c'est la première fois que quelqu'un me confirme aussi clairement qu'il s'agit d'une faute grave. Je me dis: «Enfin! Je n'ai pas fait une montagne avec un caillou.»

Les paroles de June me font du bien. Pas autant cependant qu'elles le feraient si je ne me sentais pas un peu coupable de ce qui s'est passé avec Alain. June ne le sait pas, mais Alain n'est peut-être pas le seul responsable de toute cette histoire. Je n'ose en parler. D'ailleurs, il me semble que c'est «chose du passé»: j'ai clarifié mes affaires avec Alain, mes espoirs sont morts. Je ne vois plus de conséquences possibles, car j'entrevois maintenant la possibilité d'une relation avec Robert. J'ai l'impression que le fait d'être en amour avec un autre homme va faire en sorte que ce que j'ai vécu avec mon thérapeute n'aura plus aucune conséquence, n'aura plus aucun effet dans ma relation avec Robert.

Au cours des jours qui suivent, June me dit qu'elle connaît une psychologue qui fait sa thèse de doctorat sur les femmes qui ont eu des relations sexuelles avec leur thérapeute et que, si je veux la rencontrer, elle me donnera ses coordonnées. June me suggère aussi de parler de ce sujet avec un psychologue inscrit à l'atelier et qui est en pratique privée depuis plusieurs années à Santa Monica.

Je rencontre ce psychologue et je lui pose toutes sortes de questions. Toutefois, je ne cherche pas à rencontrer la psychologue qui fait sa thèse de doctorat: je me sens encore coupable de ce qui est arrivé, je ne vois donc pas ce que je peux lui apporter. De plus, je ne me sens pas à l'aise avec le fait d'avoir dit à June le nom de mon premier psychothérapeute: s'il fallait qu'Alain l'apprenne, comment réagirait-il?

Anne et moi quittons La Jolla le 28 juillet. Nous louons une auto pour monter vers le nord, car nous sommes inscrites à un autre atelier au Esalen Institute, du 3 au 8 août. Avant mon départ, je signifie à Robert qu'il me plaît et que je désire le revoir à Québec. Lui demeure à La Jolla: il m'informe la veille de notre départ qu'il y attend une amie du Québec avec qui il a convenu, avant son voyage, de passer quelques jours dans cette ville. J'ai un pincement au cœur mais je me dis que ces arrangements se sont faits avant notre rencontre.

À Esalen, je ne parle aucunement de ce que j'ai vécu avec mon premier thérapeute. Encore là, c'est pour moi «chose du passé»; je m'imagine que le fait d'avoir rencontré un autre homme me permettra de décrocher, d'oublier Alain et tout ce que j'ai vécu avec lui et, d'une certaine façon, de régler ce qui m'a déjà amenée à consulter trois psychologues : mes problèmes de relation avec les hommes.

## Mes espoirs sont déçus

Je reviens à Québec vers la mi-août. Je m'empresse de téléphoner à Robert afin de le revoir car certaines craintes ont refait surface.

> Certaines appréhensions que j'éprouvais se sont dissipées : il n'est pas retourné avec sa femme, il n'a pas passé la nuit avec une autre femme. (26 août)

Mais le lendemain, Robert me parle d'une amie qui doit venir le visiter la fin de semaine de la Fête du travail ; mes espoirs sont déçus.

Robert a brisé tout ce qu'il y avait entre nous. C'est fini. Je n'ai plus envie de le voir, je n'ai plus envie de lui parler. La peur et l'appréhension que j'avais face à Robert se sont concrétisées.

J'ai encore l'impression de passer au deuxième rang, de devenir une amante parmi d'autres, après cette femme qui passera la fin de semaine chez lui, cette femme qui occupe donc le premier rang. Et je ne tarde pas à mettre la faute sur moi : je me dis que je suis allée trop vite et que j'ai ainsi tout détruit. Tout est fichu par ma faute. J'ai l'impression de me retrouver dans le vide : plus d'Alain, plus de Robert, plus de thérapeute. Et voici que je trouve cette carte postale dans mon courrier :

> « Lyse,
>
> J'aime bien la Finlande : c'est très spectaculaire. Les gens sont accueillants aussi. Je commence à être bien, à relaxer. Merci pour les beaux souvenirs. Bon voyage.
>
> Alain »

La dernière phrase me fait un pincement au cœur. J'ai l'impression qu'Alain m'annonce que tout ce que nous avons vécu ensemble passe au rang des souvenirs et que nous ne nous reverrons plus jamais.

Erreur. Le 30 août, Suzanne, mon ex-thérapeute, m'invite à assister à l'ouverture officielle de son nouveau bureau et de celui de ses associés. En entrant, j'aperçois Alain en train de «frencher» avec une femme, debout en plein milieu de la pièce. Le lendemain, je relate l'événement en ces termes :

> J'ai fait exprès pour passer à côté d'eux : je voulais vérifier si ça me dérangeait et j'espérais qu'il me voit indifférente. Il ne m'a pas vue et je ne suis pas allée lui parler. Il est parti et je suis partie quelque temps après lui.

Les comportements d'Alain n'ont plus tellement d'importance pour moi. Je suis maintenant préoccupée par ce qui se passe avec Robert.

> Je ne veux pas continuer ma relation avec Robert, je suis trop mal à l'aise à l'intérieur de ça, je sens trop que je répète un vieux «pattern». Je ne veux plus me sentir ainsi, je ne veux plus.

> Actuellement, la seule solution est de cesser de le voir pendant un bout de temps. Je ne veux plus le voir. Je sens que tout est gâté maintenant et je m'enlise de plus en plus en continuant à le voir. Je veux cesser de le voir avant qu'il ne soit trop tard. (8 septembre)

Mais le lendemain, le téléphone de Robert me fait changer d'idée :

> Robert m'a dit qu'il avait déposé la clé de son chalet dans ma boîte aux lettres. C'est très gentil. Lui s'en va à l'extérieur en fin de semaine et il me passe son chalet.

## Seule au chalet de Robert

Je vais passer deux jours seule, au chalet de Robert. Le samedi matin j'écris :

> Je pensais au moins que Robert m'écrirait un petit mot de bienvenue. Du tout. Rien du tout. Au lieu de ça, j'ai vu une photo de femme dans sa chambre, quatre paquets enveloppés venant de La Jolla et des indices qu'une femme était venue dernièrement à son

chalet. Je me suis posé la question suivante: «Qu'est-ce que je fais ici?»

Et la même journée, dans l'après-midi:

Suite: j'ai trouvé le pot aux roses: un mot de Karine, celle qui est venue passer la fin de semaine de la Fête du travail avec Robert. Ça se passe de commentaires: «Robert chéri... Je te remercie de la fin de semaine passée près de toi... j'admire la patience que tu as avec les enfants... je suis reposée et pleine de ton amour... je t'embrasse très fort, je t'aime.

XXX Karine»

Je comprends tout maintenant.

Je marche sur la grève et je pleure. Je me demande ce que je fais là. J'ai l'impression de vivre en maîtresse dans la maison d'un couple qui s'aime. Après cette fin de semaine, je suis décidée à ne plus donner de nouvelles à Robert.

Au cours de la semaine, je vais luncher au restaurant avec une amie et je croise... Robert. Il m'apprend le décès de sa mère et je le vois peiné. Je suis sensible à sa peine. Robert me téléphone dans les jours qui suivent et me parle de la mort de sa mère. Je suis touchée par ses confidences et je n'ose lui parler de ce que j'ai découvert à son chalet. Aussi, son téléphone pour me souhaiter un bon anniversaire ouvre-t-il la porte à de nouveaux espoirs et... je l'invite à souper chez moi.

Et le combat continue.

Le combat entre mes observations et mes espoirs: le mot que j'ai lu est signé d'une femme et non de lui; ce n'est pas parce qu'elle l'aime qu'il l'aime aussi. Robert rencontre d'autres femmes mais ça ne signifie pas qu'il ne m'aime pas. Je remets en question ce que je ressens et je me juge immature: mes émotions sont encore un indice de ma possessivité et j'ai encore du chemin à faire pour accepter des aventures et être capable de faire confiance. D'ailleurs, je me demande si le fait d'avoir des relations avec d'autres ne m'aiderait pas à éprouver moins de frustration et moins de colère.

J'essaie. Un téléphone d'Alain me fait comprendre qu'il y a toujours des possibilités de le rencontrer. Il sera l'amant, l'amant qui réconforte et qui fait momentanément oublier les insatisfactions avec le premier, Robert.

Au cours de l'automne 1980, mon journal témoigne à plusieurs reprises de mon désir constant de vivre une relation privilégiée avec un homme :

> J'ai besoin d'aimer et de me sentir aimée, j'ai besoin d'une relation suivie avec un homme. C'est important pour moi. Je veux vivre ça. Je le veux. (1er septembre)

> Il y a un besoin qui est très clair pour moi : je veux avoir une relation significative avec un homme. (13 septembre)

> J'aimerais tellement avoir une relation intense avec un homme. J'aimerais tellement ça et je suis déçue. Ça ne marche pas. (18 septembre)

> Je me sens fatiguée, épuisée. Je sens de la tristesse en moi, de la tristesse parce que je n'arrive pas à trouver un homme qui ait envie de s'impliquer avec moi. J'ai envie de vivre une relation profonde. Je ne vois pas comment y arriver. Je suis réellement poignée. (24 septembre)

> Je vois que je suis pas mal arrivée à la limite de mes forces. Je suis rendue à bout de forces dans mes efforts pour aimer et être aimée. (4 octobre)

> Je veux vivre un jour une relation intime avec un homme. Je le désire de tout mon cœur. Je veux la vivre parce que moi, Lyse Frenette, j'ai envie de la vivre. (16 octobre)

Je veux... mais je n'y arrive pas. J'ai toujours espoir qu'un jour Robert décide de vivre une relation première avec moi et que nous puissions vivre cette relation sans être possessifs l'un envers l'autre, c'est-à-dire, en étant capables d'accepter sans réaction aucune des relations extra-maritales de part et d'autre. Je souhaite toujours que nous soyons assez ouverts d'esprit pour réussir à dépasser la sexualité, la neutraliser, la «banaliser».

Tout au cours de l'automne, je m'efforce d'être aussi mature qu'Alain: lui, il est capable d'accepter sans peur, sans colère et sans peine qu'une femme ait des relations avec d'autres partenaires.

À l'Université, je découvre un concept nouveau susceptible de m'aider: l'androgynie. Ce concept va à l'encontre de tous les stéréotypes qui définissent les rôles et les conduites des gens à partir de leur sexe. Les recherches démontrent que les hommes et les femmes androgènes sont des personnes mieux adaptées, plus saines psychologiquement car elles se permettent de réagir non plus en fonction des attentes sociales définies par leur sexe mais en fonction d'elles-mêmes.

Au moment où je vis de la frustration et de l'impuissance de ne pouvoir développer une relation intime, où j'essaie d'étouffer ma colère et ma peine et de comprendre ce qui m'arrive, je me dis qu'il n'y a pas que les hommes qui peuvent vivre des relations multiples sans souffrances: les femmes aussi le peuvent, moi aussi je le pourrai... Si seulement je peux cesser de me percevoir en fonction des attentes sociales définies par mon sexe, c'est à dire comme une personne qui, en tant que femme, est fondamentalement monogame! Je m'y efforce... sans succès. Le premier samedi d'avril 1981, alors que Robert m'a laissé entendre qu'il était occupé, je l'aperçois au volant de son auto avec une femme à ses côtés.

> Je sens mes yeux pleins de rage, de colère, de haine...
> et de douleur. Je me sens bloquée, figée. J'ai peine à
> écrire, à bouger. J'ai envie d'éclater, de crier, de hur-
> ler à tue-tête: «C'est assez, je n'accepte plus qu'on
> me fasse mal, je ne veux plus me laisser faire mal!»
> Je vais me défendre, attaquer, sortir mes griffes. Oui,
> je suis tigresse. Robert, c'est la dernière fois que tu
> me traites comme une «chienne». Oui! Comme une
> «chienne»! Tu vas voir ce que c'est une tigresse...
> tout mon corps se rebelle, hurle... et pleure de dou-
> leur.

## Je demande deux bourses d'études

À travers tous ces bouleversements, je continue de fonctionner: je m'occupe de faire mes demandes pour deux bourses spéciales de maîtrise, d'organiser un voyage d'études en Californie à l'été 1981 et de m'inscrire à la maîtrise à l'Université de Montréal, à l'automne 1981.

Lors de mes demandes de bourses, je me fais la réflexion suivante: puisque Alain est encore dans le décor, il va toujours bien servir à quelque chose. Je lui demande de fournir une lettre de référence aux deux organismes donateurs.

Avant de partir pour la Californie, je reçois la nouvelle que j'ai obtenu les deux bourses: l'une du fonds FCAC du Ministère de l'enseignement supérieur, au niveau provincial, et l'autre du Conseil de recherches en sciences humaines du Canada, au niveau fédéral. Je suis très contente et très fière. J'ai aussi la confirmation de mon acceptation à la maîtrise à l'Université de Montréal. Et pourtant... Avant mon départ pour la Californie, j'écris dans mon journal:

> Je désire la mort. Aussi étrange que cela puisse paraître, je désire la mort... je sens que mon corps ne peut plus me suivre: il est lourd, rouillé, il a trop souffert... Je désire mourir pour me reposer. Refaire le plein. Prendre mon souffle... J'ai besoin d'arrêter, de faire reposer mon corps endolori... (12 juin)

> Je sens maintenant beaucoup de tristesse en moi. Mes yeux sont pleins d'eau. Je sens la mort, le deuil. (21 juin)

Avant mon départ, je passe une nuit avec Robert à son chalet et, le lendemain, je le quitte en fin de journée pour aller rejoindre Alain qui m'a invitée à souper chez lui. Je ne suis pas à l'aise d'agir ainsi; je viens à deux cheveux d'en parler à Robert et d'annuler mon souper avec Alain. Mais... à quoi bon! Robert ne pose pas de questions; pourquoi lui communiquer ce que je vis? C'est la loi du non-dit, la loi du respect de l'autonomie et de l'intimité de l'autre, la loi de l'indifférence: tu ne m'intéresses pas assez pour que je te demande ce que tu as fait ou ce que tu feras. Alors... autant profiter de tout ce qui passe. Même indifférence d'Alain: il est aussi discret que

Robert, il ne pose pas de questions. C'est la loi du «ici et maintenant».

## Je fais un second voyage en Californie

À San Diego, je participe à un stage sur les différentes approches corporelles en thérapie. Pendant mon séjour d'un mois, je retourne à La Jolla voir les gens que j'ai connus l'été précédent. J'y vais à plusieurs reprises. Quelques jours avant mon départ, je demande à June, l'animatrice de mon petit groupe, les coordonnées de la psychologue qui fait sa thèse de doctorat sur les femmes qui ont eu des relations sexuelles avec leur thérapeute. Je me décide à rencontrer cette femme, le Dr Linnda Durré, la veille de mon départ, le 6 août 1981. Je ne sais pas du tout à quoi m'attendre mais je décide de la rencontrer. Je me sens maintenant prête.

Àma grande surprise, je suis seule avec elle. J'avais imaginé un petit groupe de femmes qui partageraient leur vécu respectif. Mais non ! Je crois alors qu'elle m'accorde une entrevue pour m'aider à décrocher, à sortir de cette relation avec mon ex-thérapeute. Toutefois, au fur et à mesure, je constate qu'il s'agit davantage d'une entrevue de récit des faits. Je trouve difficile de me rappeler à brûle-pourpoint tous ces événements qui se sont déroulés il y a plus de quatre ans.

Le fait de parler de mon vécu ravive beaucoup d'émotions. Après deux heures d'entrevue, je sors du bureau de Linnda complètement épuisée et vidée.

Le lendemain, je prends l'avion pour Montréal. Robert m'y attend. J'interprète ce geste comme un désir de rapprochement. Au cours du trajet vers Québec, je lui parle de ce que j'ai fait en Californie: de la maison où j'habitais, de mes cours, de mes passages à la Jolla. Je lui raconte même l'aventure que j'ai eue là-bas, tout en lui laissant entendre que c'était passager et que c'est terminé. Je considère qu'il s'agit là d'une marque de confiance. Robert n'a d'ailleurs aucune réaction. Je conclus que cette aventure ne le dérange pas.

## Je déménage à Montréal

Vers la mi-août, je déménage à Montréal pour entreprendre mes études de maîtrise. J'y demeure de façon régulière dès le début de septembre et je continue ma relation avec Robert par téléphone ou par lettre. Sur invitation de Robert, je retourne à Québec à la fin septembre pour fêter mon anniversaire. Dans la lettre de remerciements que je lui envoie, je lui écris que j'ai besoin d'établir une relation continue avec un homme.

À la mi-octobre, Robert vient me voir à Montréal. À nouveau, je lui parle de mon désir de vivre une relation à deux. Il me dit qu'il a également envie maintenant de vivre une relation à deux. Et c'est alors qu'il me dit qu'il a l'intention de vivre en couple... avec une autre femme. J'ai l'impression de vivre un cauchemar. Je crois que le cœur va m'éclater. Le choc est trop fort. Je reste figée. Le lendemain, j'écris :

> Je suis un bloc de douleur figé dans le marbre. Du marbre qui pleure et qui a mal. Je me sens complètement abattue, à terre, anéantie... Je crois que je mourrais cette nuit sans aucun regret. Tout s'écroule, tout tombe. C'est trop pour moi.

Je ne comprends plus. Je ne comprends pas. J'ai rencontré Robert trois semaines auparavant à Québec. Il m'a préparé un souper d'anniversaire à son chalet. Que s'est-il passé depuis ? Qu'est-ce que j'ai fait ? Comment se fait-il qu'il ait maintenant envie d'une relation à deux avec une autre femme ?

Je resterai sans réponses jusqu'au début novembre.

## Je consulte un quatrième psychologue

La première fin de semaine de novembre, je vais à Québec pour assister à une soirée chez une amie. Une connaissance de Robert me téléphone et m'invite à prendre un café ; à cette occasion, elle m'apprend que Robert s'intéresse à la femme avec qui il vit en couple depuis déjà longtemps. Je suis bouleversée. Robert ne m'en a jamais parlé. Pourquoi est-il venu me chercher à Montréal, lors de mon retour de la Californie ? Pourquoi m'a-t-il invitée à fêter mon anniversaire avec lui ? Et moi qui pendant tout ce temps lui faisais des confidences ! Moi qui me faisais un devoir de lui parler de ce que je vivais en dehors de notre relation ! La farce ! C'était à sens unique. Quelle naïveté de ma part !

À mon retour à Montréal, le dimanche soir, j'écris :

> Demain, je vais demander à mon superviseur de stages de me référer un bon thérapeute.

Le lendemain, je rencontre Daniel, mon superviseur, et je lui demande s'il connaît des psychologues de l'approche humaniste/existentielle, des psychologues de 40 ans et plus qui ne couchent pas avec leurs clientes et qui désapprouvent cette pratique. Il me donne trois noms et, comme j'ai déjà entendu parler en bien du premier, je lui téléphone et prends rendez-vous avec lui pour la troisième semaine de novembre.

Au moment où je commence ma thérapie avec ce quatrième psychologue québécois, Serge Després, je pleure tous les jours. Je suis découragée, je ne comprends rien à ce qui m'arrive. J'ai de la peine, je me sens rejetée, abandonnée. Et surtout, j'ai le sentiment de vivre un second échec.

Cet échec est d'autant plus douloureux que j'ai fait tous les efforts que je pouvais pour essayer d'atteindre une fois de plus ce modèle de relations multiples que je crois toujours compatible avec une relation de couple «non-traditionnelle». Tout se bouscule dans ma tête. J'ai cherché de l'aide au moment où je me sentais étouffée dans une relation de couple «traditionnelle». J'ai par hasard découvert le modèle d'Alain et je considère que mon thérapeute a su trouver «la» solution de rechange à une vie de couple satisfaisante. Je ne mets pas en doute l'efficacité de son modèle mais je n'arrive tout simplement pas à y adhérer. J'ai échoué dans ma première tentative pour me faire aimer d'Alain et voici que j'échoue encore avec Robert. Je suis à la limite de mes possibilités, je ne peux faire plus que ce que j'ai fait et c'est le résultat auquel j'arrive. Je me sens tout à fait impuissante, découragée.

Malgré le fait que Robert décide de vivre une relation de couple avec une autre femme, je ne rejette pas le modèle de relations multiples d'Alain. Au contraire, j'ai l'impression que Robert fait route arrière, car il retourne au vieux modèle «traditionnel» de relation de couple. Je le méprise. Je lui souhaite de mourir étouffé dans ce genre de relation aliénante où chacun essaie de posséder l'autre, de le brimer dans sa liberté d'action. Je désire qu'il meure, étouffé par la possessivité de l'autre !

## Une lettre inattendue

À cette même période où je commence ma thérapie à Montréal, je reçois, par l'entremise de mon directeur de mémoire, des nouvelles d'Alain.

Le 17 novembre, j'ai rendez-vous avec mon directeur. Je passe à son bureau et, tout en excuses, il me remet une lettre adressée à son nom et au mien. Il l'a ouvert par mégarde et il en est désolé. Une lettre d'Europe ! Je m'empresse d'aller voir la signature. Alain. Quelle ingéniosité ! Il réussit toujours à me rejoindre. Il n'y a rien à son épreuve. Il est parti en année sabbatique avant que je puisse lui donner mon adresse à Montréal, mais il s'est souvenu du nom de mon directeur de mémoire. Le soir, j'écris :

> Sa lettre a suscité de la panique et de la joie ; je suis allée la lire à la bibliothèque : c'était tellement sensuel et plein de vie que j'avais l'impression qu'il était là, devant moi.

Je voudrais tellement qu'Alain soit là, qu'il me réconforte. Je suis désemparée ; j'aimerais pouvoir le rencontrer, lui parler, me serrer contre lui. Mais c'est impossible, il n'est pas là. Toutefois, je prends le risque de lui glisser quelques mots de mon désarroi dans la lettre que je lui envoie en Europe.

À cette même période, je reçois du courrier enregistré de la Californie. Il s'agit du verbatim de mon entrevue avec Linnda Durré et de plusieurs photocopies d'articles de journaux au sujet des thérapeutes qui ont des relations sexuelles avec leurs clientes et au sujet de la poursuite légale de l'une d'elles. Linnda me demande de faire les corrections nécessaires et de lui retourner l'entrevue en vue de la publication éventuelle d'un livre. Je lis certains passages de mon entrevue et j'ai la nausée. Je me vois comme dans un miroir. Je me vois encore accrochée à Alain, dans une relation malsaine où je n'ose lui exprimer de l'agressivité de peur de lui déplaire ou de le perdre. La seule phrase qui me vient à l'esprit est: «Mon Dieu que je suis «fuckée»!» Incapable de supporter cette image de moi, je ne lis même pas l'entrevue au complet. Je range l'enveloppe et son contenu en me disant que je m'occuperai de tout ça à un autre moment.

Deux relations nouvelles m'aident à traverser ce trimestre difficile: une femme qui fait partie de mon équipe de stage et un étudiant étranger qui est inscrit à un doctorat à l'Université de Montréal. Je trouve, dans la première, une amie avec qui échanger et, dans la seconde, un homme humain et franc, capable de se positionner dès le début de notre relation: il a l'intention de retourner vivre dans son pays d'origine et de partager sa vie avec une de ses compatriotes. Cette clarification me permet de le rencontrer sans avoir d'attentes d'une relation à long terme.

Le 9 janvier 1982, alors que je prends le lunch avec cet étudiant à mon appartement de Montréal, j'ai un téléphone d'Alain. Il est de passage au Québec pour la période des Fêtes et désire venir faire un tour chez moi. Il arrive peu de temps après son téléphone avec un cadeau, un disque d'un trio d'Angleterre. Nous parlons à trois pendant quelque temps puis l'étudiant se retire. Alain parle avec moi environ une heure. Au cours de notre conversation, je lui mentionne que je suis en thérapie avec Serge Després. Il ne fait aucun commentaire. Après quelques instants, il s'en va.

Sa visite me laisse perplexe: pourquoi est-il venu me visiter? Ma lettre l'a-t-elle inquiété? Voulait-il vérifier dans quel état j'étais? Et son comportement? C'est la première fois que nous nous rencontrons sans qu'il soit question de faire l'amour. La présence de cet étudiant l'a-t-elle surpris? Ou bien est-il lui-même en amour avec une autre femme? Et sa réaction au fait que je sois en thérapie avec Serge Després? Que signifie ce silence? Peut-être trouve-t-il que j'exagère? Après tout, c'est le quatrième psychologue que je consulte. Se peut-il... se peut-il qu'il ait peur que je parle de tout ce qui s'est passé avec lui? Et ce cadeau? Est-ce une façon de m'acheter, d'acheter mon silence? Si c'est le cas, il est déjà trop tard.

En effet, dès les débuts de ma thérapie avec Serge Després, je parle d'Alain. Lors de la réception de la lettre d'Europe, je dis de façon claire qu'il s'agit d'une lettre de mon premier thérapeute. Je suis plus à l'aise d'en parler à cause de ce que j'ai appris en Californie. Toutefois, je ne veux pas révéler le nom d'Alain : je sais qu'il est connu dans le milieu et j'ai peur de nuire à sa réputation ou d'avoir à subir ses représailles s'il apprend que je l'ai dénoncé.

À l'occasion d'une entrevue, Serge Després me demande plus de détails sur mes relations sexuelles avec Alain : dans quelles circonstances elles ont commencé, à quel endroit et comment elles se sont déroulées. Je décris ce qui s'est passé mais je ne suis pas encore à l'aise d'en parler : je me sens encore responsable. Là-dessus, mon thérapeute me dit que c'est à lui, Alain, que revenait la responsabilité professionnelle de mettre des limites et de faire en sorte qu'il n'y ait pas de relation sexuelle. Linnda Durré m'a dit la même chose ; je commence à croire que c'est vrai.

## Un petit goût de vengeance !

Au cours de mon deuxième trimestre d'études à Montréal, je mets beaucoup de temps et d'énergie à mes cours et à la rédaction de mon mémoire. Je m'oblige à tout terminer pour le 1er juillet 1982 car j'ai un bail d'un an pour mon logement. D'une part, je n'ai pas le temps d'investir dans une relation amoureuse ; d'autre part, je suis écœurée de mes deux récents échecs amoureux et je n'ai pas envie d'en vivre un autre.

Toujours aussi convaincue du bien-fondé du modèle d'Alain, à défaut d'y trouver profit je suis déterminée à y trouver au moins mon compte. Je me dis que ce modèle vaut autant pour une femme que pour un homme, qu'il ne s'agit pas d'une question de sexe mais d'une question de capacité à vivre le moment présent sans avoir d'attentes. Et j'associe à ce modèle de relations multiples tout ce que j'ai appris sur le nouveau concept d'androgynie.

Il n'est plus question pour moi d'avoir des relations avec des hommes qui me plaisent plus ou moins, par crainte de me faire étiqueter de «séductrice» ou de me faire reprocher de ne pas savoir profiter du «ici et maintenant» dans les cas où je refuserai. Non. Cette période-là est terminée. Par contre, quand je rencontrerai un homme qui me plaît, je suis bien décidée à ne pas rater ma chance. Les occasions se présentent et je ne les rate pas.

Je n'ai plus qu'un seul critère : est-ce que cet homme me plaît, est-ce que j'ai envie d'avoir une relation avec lui ? S'il est marié, tant pis ! De toutes façons, c'est passager. S'il ne l'est pas, attention ! Il ne faut pas avoir d'attentes. J'ai d'autres priorités et, de toutes façons, ça ne marche jamais.

Effectivement, j'ai d'autres priorités : mes études de maîtrise, la rédaction de mon mémoire, mon déménagement à Québec, l'organisation de l'ouverture de mon bureau, la planification des services à offrir, la recherche d'un endroit de formation et d'un superviseur. J'ai des échéances à rencontrer et je n'ai pas le goût d'investir dans une relation avec un homme pour risquer de répéter ce que je vis depuis 1977.

En thérapie, Serge Després me demande si ce genre de relation que j'ai avec les hommes est ce que je désire. Et je réponds : «oui». J'ajoute que c'est ce qui me satisfait et que j'arrive de plus en plus à faire ce que font les hommes : avoir une relation, fermer le tiroir et passer à autre chose comme si de rien n'était. Parfois, mon désir d'avoir une relation plus calme avec un seul homme refait surface. Je l'étouffe rapidement en me disant que la vie de couple «traditionnelle» est aliénante, que j'ai essayé de trouver autre chose pendant cinq ans et que ça ne m'a rien apporté de bon. Quand mon psychologue essaie de me faire voir des distinctions à l'intérieur de la vie de couple «traditionnelle», je ne veux rien savoir. Comme au tout début de ma thérapie avec Choinière, je demeure convaincue que ce mode de vie de couple, qui inclut un engagement de fidélité, est une espèce de cachot où se meurent à petit feu deux êtres trop peureux pour s'en sortir et passer à autre chose. Un jour où il insiste un peu trop, je me choque :

— Si tu crois que tu vas me vendre ton modèle, tu te trompes ; il y en a un qui m'a vendu son modèle et il n'y en aura pas deux.

À la rencontre suivante, Serge Després revient à la charge :

— Je veux bien reconnaître que je suis vieux et vieux jeu, je suis marié dans un mode de couple «traditionnel». Mais j'aimerais que tu me parles de ce que tu vis le lendemain et les jours qui suivent tes aventures avec des hommes.

Ces mots constituent une espèce de tournant. Je comprends que ce psychologue se préoccupe de mon vécu, qu'il n'essaie pas de me vendre son modèle puisqu'il se reconnaît vieux jeu. Je commence à saisir qu'il peut y avoir un lien entre mes aventures et mes moments de déprime où apparaissent encore des idées suicidaires ; je suis plus ouverte au fait qu'il peut y avoir des couples qui vivent selon le modèle «traditionnel» et qui ne se meurent pas d'étouffement.

## Je décide d'ouvrir mon bureau à Québec

À l'été 1982, je prépare à Québec le local pour l'ouverture de mon bureau et je commence ma formation à la psychothérapie et ma supervision à Montréal. J'ai décidé de pratiquer à Québec et de voyager toutes les semaines à Montréal pour ma thérapie, ma formation et ma supervision. Je planifie aussi des rencontres avec certaines personnes susceptibles de me référer des clients et clientes et, parmi ces gens, il y a Alain Choinière.

Oui ! Je veux rencontrer Choinière ! Comme professionnelle cette fois. Je veux me présenter à lui sous un autre aspect que la «Marie couche-toi là» ; je veux lui montrer que j'ai une tête, que je suis capable de m'en servir pour réfléchir. En un mot, je veux me «réhabiliter» à ses yeux.

Le jour où je décide de rencontrer Choinière, je l'invite à prendre le lunch dans un restaurant. Il me rejoint chez moi. Pendant le trajet jusqu'au restaurant «Le Saint-Honoré», il m'apparaît différent. Il m'avoue qu'il est en thérapie à Montréal et qu'il réalise à quel point il est défensif et rationnel. J'ai peine à le reconnaître et je n'ai pas envie d'entrer dans ce sujet-là. Toutefois, il me semble plus en contact avec lui. Nous mangeons. La conversation est sérieuse et je l'informe de mes projets et de mes voyages à Montréal. Après le dîner, nous marchons un peu sur les Plaines d'Abraham. À un moment donné, il me serre dans ses bras. Je ne comprends pas son geste, c'est ambigu. Moi, je n'ai pas le goût de me faire serrer : il n'est pas question d'aller plus loin. Je l'éloigne poliment et lui souhaite une bonne journée. Nous nous quittons.

À la fin de décembre 1982, je commence à fréquenter un homme, André. Je suis maintenant décidée à essayer quelque chose de nouveau : je cesse toute rencontre avec d'autres hommes et je prends même la peine de les avertir qu'il n'est plus question de se voir. Vers la mi-février, j'apprends qu'André rencontre parfois une autre femme. J'essaie encore de ne pas réagir de peur de me montrer «possessive» et je continue à le fréquenter, sans clarifier quoi que ce soit. Mon journal témoigne de ce que je vis:

> Je me suis réveillée en plein milieu de la nuit; j'avais extrêmement peur, je tremblais et le cœur me battait très rapidement. (24 février)

> J'ai fait un rêve où je n'ai aucun contrôle, où tout est désorganisé et où, dépassée par ce désordre, je n'essaie plus de comprendre ou de restructurer quoi que ce soit. Je me sens impuissante mais je ne peux vraiment pas faire davantage. J'ai fait tout ce que je pouvais. (27 février)

> Je suis écœurée et en maudit. Je me sens comme un volcan à la veille de son éruption. Je vais m'amuser et tout dépenser. Je vais vraiment voir si la vie vaut la peine d'être vécue; je vais voir si je peux m'amuser et rire avant d'en finir. (2 mars)

> Ça ne peut plus durer. Cette relation avec André non seulement ne m'apporte actuellement rien de positif mais ne m'apporte que du négatif. (14 mars)

## J'ai un accident d'auto

Le 24 mars 1983, en m'en allant à Montréal, j'ai un accident près de Portneuf. En doublant un camion, je roule sur de la glace et je perds le contrôle de mon auto; voulant éviter un pylône, je donne un coup de volant, je frappe le camion et, sous la violence du choc, je prends le fossé à gauche et fais un tonneau complet avec mon auto. Ma voiture est une perte totale. Je n'ai cependant pas une égratignure. Je suis vivante. J'écris le jour même:

> Je ne suis pas morte ce matin dans mon accident. Je vis. Je vis alors que j'ai pensé mourir.

Le 1$^{er}$ avril 1983, je m'en vais, seule, au chalet que j'ai loué au bord de la rivière Montmorency. J'ai besoin d'être seule, de sortir la rage et la peine qui m'habitent. Rage refoulée depuis tant d'années, rage incapable de sortir, rage bloquée par la peur. Rage contre Choinière qui, non seulement ne m'a pas aidée à l'exprimer, mais a fait en sorte qu'elle reste enfouie bien à l'intérieur de moi pour qu'il continue à se sentir «correct» dans son incompétence professionnelle. Rage contre ces hommes qui ont besoin de se prouver qu'ils sont bons, beaux et capables en multipliant leurs conquêtes. Et ma peine! De me retrouver seule. Complètement seule. Avec ma solitude. Et mon manque d'amour.

Le 7 avril, je parle à André au téléphone; je lui exprime mon insatisfaction et mon désir de rompre ma relation avec lui. Je suis fière de moi. Fière de me sortir d'une relation qui ne correspond plus à ce que je désire vivre avec un homme. Et surtout fière d'en sortir plus rapidement qu'avec les précédents. C'est d'ailleurs ma seule consolation, le seul élément de changement: réussir à me retirer «plus rapidement» d'une relation insatisfaisante. Toutefois, je n'ai encore aucun indice pour trouver un homme qui a, lui aussi, le goût de vivre une relation stable.

## En quête d'informations

Ma formation à Montréal va m'ouvrir une piste d'exploration.

Au cours d'une fin de semaine, alors que je participe à un groupe de thérapie dans le but d'observer la psychologue qui anime le groupe, une participante parle de sa difficulté à établir une relation satisfaisante avec un homme: elle a vécu plusieurs ruptures et a peu d'information sur ce qui amène ces ruptures successives. La psychologue lui propose, entre autres, d'aller chercher cette information auprès des hommes qu'elle a fréquentés. Cette suggestion ne tombe pas dans l'oreille d'une sourde. Moi qui n'arrive pas à comprendre comment il se fait que les hommes que j'ai fréquentés se désistent au moment où je parle d'une relation suivie, voilà que j'ai l'occasion d'en savoir plus long. Je décide alors d'aller chercher cette information auprès de quatre hommes, dont Alain Choinière.

Je téléphone à Alain et lui parle de mon projet. Il accepte. Le jour convenu, son auto étant en réparation au garage, je vais le chercher à Québec, l'amène au chalet et le ramène chez lui en début de soirée.

Tout au long de notre rencontre, je sens Alain mal à l'aise. Au cours de l'entrevue enregistrée, je lui demande ce qu'il a observé de moi qu'il n'a pas aimé. Son malaise l'amène à constamment répéter la seule information que j'obtiens de lui à savoir, que je ne prends pas ma place. Or, je ne saisis pas ce qu'il veut dire : c'est quoi prendre sa place auprès des hommes ? Je pense : « N'ai-je pas essayé de lui exprimer ce qui me frustrait et me mettait en colère ? Et pourtant à chaque fois il se retirait, il prenait ses distances et je ne pouvais plus le rejoindre. N'ai-je pas essayé de me rapprocher de lui ? Et alors il me laissait entendre que j'étais possessive. » Que veut-il signifier par « prendre sa place » ? Je ne le sais pas. Ses réponses sont ambiguës ; je n'ai pas envie de partir une querelle sur le sujet et de rebrasser de vieilles affaires. Je n'ai pas le cœur à ça. D'ailleurs, il semble avoir hâte de retourner à Québec.

À l'été 1983, j'ai l'occasion de revoir Robert. Il me fait savoir que sa vie de couple avec l'autre femme n'a pas duré un an. Nous nous revoyons à quelques reprises et, à l'automne, il me dit clairement qu'il ne désire qu'une relation d'amitié avec moi. Croyant que je peux passer d'une relation d'amour à une relation d'amitié du jour au lendemain et qu'une relation d'amitié peut inclure la dimension sexuelle, je continue à rencontrer Robert tout en me répétant que ce n'est que de l'amitié et qu'aussitôt que je rencontrerai un autre homme avec qui je pourrai vivre une relation amoureuse, je cesserai de le voir.

Pendant les vacances de Noël, je rencontre un homme avec qui je crois pouvoir vivre une relation amoureuse. Quand Robert découvre son existence, il est offusqué. Moi, surprise. Je croyais vraiment qu'il n'y avait qu'une relation d'amitié entre Robert et moi et que nous cesserions de nous accommoder sur le plan sexuel quand l'un de nous rencontrerait un autre partenaire. Je comprends qu'il n'y a rien de clair et que la situation est plus complexe que je ne l'ai imaginé.

## Je fais des lectures qui m'ouvrent les yeux

En thérapie, je commence à être un peu moins défensive, à m'ouvrir un peu à ce que me dit Serge Després ; mon expérience me laisse croire qu'il dit peut-être des choses sensées, qu'il n'essaie pas de me vendre sa salade comme Choinière. Je commence à réaliser qu'il y a quelque chose qui ne fonctionne pas, que tout est mêlé entre la sexualité, l'amitié et l'amour. Je n'arrive pas à démêler tout ça et je réalise peu à peu que Choinière a contribué à en faire une espèce de «melting pot». J'accepte donc, sur les conseils de mon psychologue, de lire le livre «J'aime» de Yves St-Arnaud. Je suis étonnée. Je n'ai jamais lu ou entendu un discours aussi clair sur le sujet. Mais je n'accepte pas d'emblée ce qu'il écrit: j'ai besoin de vérifier par moi-même, de faire des retours en arrière pour nommer ce que j'ai vécu depuis Choinière en passant par Louis, Robert, André et jusqu'à ce dernier homme rencontré pendant mes vacances.

Au cours des séances de thérapie suivantes, j'accepte de parler de ce que je veux comme relation, en dépit de mes nombreux échecs. Je me trouve niaiseuse, innocente d'avoir un but aussi précis et de ne pas trouver les moyens d'y arriver. Mais, en même temps, j'ai l'impression de ne pas connaître ces moyens, d'avoir à me faire aider, un peu comme lorsque j'ai appris à lire et à écrire. J'accepte encore une fois d'être plus réceptive aux questions, aux liens que formule Serge Després. De toutes façons, je me dis que je n'ai rien à perdre, que ma formule n'a pas fonctionné une seule fois en sept ans, que j'en suis au même point et que j'ai eu assez mal. De plus, j'ai maintenant un travail qui me demande beaucoup d'énergie et je n'ai plus envie de souffrir comme j'ai souffert dans mes relations avec les hommes.

Je consens peu à peu à «m'observer» dans ma relation avec les hommes.

Je suis étonnée de constater la «rapidité» avec laquelle je suis prête à me laisser aller dans les bras d'un homme et ce, depuis ma relation avec Choinière. Que ce soit avec Louis, Robert, André ou Jean (celui que j'ai récemment connu pendant les vacances des Fêtes), je ne me donne pas le temps de savoir à qui j'ai affaire. Je réalise peu à peu que ma «vitesse» parle davantage d'un manque personnel que de l'amour que j'éprouve pour l'autre.

Le besoin de tendresse qui s'est manifesté pendant ma psycho-thérapie avec Choinière, ce besoin que j'ai confondu avec de l'amour et que Choinière a sexualisé par la suite, ce besoin est resté insatisfait. Il est parfois tellement grand qu'il m'envahit et me précipite dans les bras du premier venu qui me manifeste un peu d'attention. Je m'imagine alors être en amour. Et voilà! J'y vois le coup de foudre! J'interprète le moindre geste d'attention comme une marque d'amour et je crois en la possibilité de pouvoir vivre une relation de couple.

En mars 1984, alors que j'apprends peu à peu à nommer ce que je vis et à connaître l'homme avec qui je me suis impliquée sexuellement pendant les vacances des Fêtes, je mets un terme à cette relation.

J'apprends à être un peu plus prudente, un peu plus vigilante.

Je prends conscience que je n'ai pas eu tellement l'occasion de vivre au contact des hommes, que je n'ai pas appris à les connaître. En effet, jusqu'à l'âge de quatre ans et demi, je demeurais dans le vieux Sainte-Foy où je ne rencontrais pas de jeunes de mon âge. Je vivais seule avec ma mère à longueur de semaines, car mon père voyageait. Je n'ai pas eu de frère. À partir de six ans, j'ai toujours fréquenté des collèges de sœurs; j'ai laissé le Collège de Bellevue pour une Ecole de musique tenue par des sœurs (Vincent d'Indy) et j'ai enseigné trois ans dans des collèges de sœurs. Ce n'est qu'en janvier 1974, lorsque j'ai commencé à travailler au gouvernement, que j'ai côtoyé des hommes.

Dans le but de m'aider à combler cette lacune, Serge Després me propose de lire «La mâle donne» de Phylis Chesler. Ce livre me fait découvrir l'aspect «violent» du monde des hommes; même si j'ai peine à y croire, j'en viens pourtant à observer davantage et à mieux comprendre les enjeux dans mes relations avec les hommes. Je différencie peu à peu les chasseurs d'aventures, les hommes qui ne sont pas prêts à s'impliquer dans une relation et ceux qui le sont. De façon parallèle, je comprends que la sexualité n'a parfois rien à voir avec l'amour mais que l'amour s'exprime davantage dans la tendresse, l'affection et le respect. Le respect de qui? De ce que je suis, moi, comme personne.

Un autre livre va m'aider à m'affirmer dans ce que je suis: «Why do I think I am nothing without a man?» de Penelope Russianoff, Ph.D., une psychologue américaine. Je m'accepte peu à peu davantage avec mes besoins et mes goûts, je comprends qu'ils me révèlent et que je n'ai pas à les changer pour me faire aimer. Je cesse de me forcer et de régler mon agenda sur celui d'un homme ; je fais entrer dans ma vie des activités qui me plaisent et je décide de les faire de la façon dont j'ai envie de les faire. C'est ainsi qu'au printemps 1984, je planifie un voyage en France pour l'été.

Je me documente. Je lis «La France des routes tranquilles» ; je prépare le trajet des villes que j'ai le goût de visiter et je fais des réservations dans les auberges. Je décide de voyager avec l'option achat/rachat d'une automobile. Je me propose de faire le voyage seule. Au début de mai, un homme que j'ai rencontré à Montréal pendant mes études de maîtrise et qui me plaît beaucoup, Sylvain, me propose de faire le voyage avec lui. Toutefois, j'ai l'impression que ses hésitations face au voyage parlent davantage de ses réserves face à moi. Je refuse donc sa proposition. Par contre, ma sœur me fait la même suggestion tout en acceptant mes démarches. Je décide donc de faire le voyage avec elle.

Avant mon départ pour la France, je rencontre à nouveau Sylvain. Mes impressions se confirment: Sylvain n'est pas prêt à s'impliquer avec moi, il vient de se séparer et il veut prendre le temps de connaître d'autres femmes. Son message est clair. Je prends donc la décision de rompre avec lui: il me plaît trop pour continuer de le rencontrer alors qu'il n'est pas prêt à s'investir. Je suis fière de moi car je sais qu'en agissant de la sorte, je prends soin de moi et je m'évite bien des souffrances. Nous ne sommes pas sur la même longueur d'ondes. J'ai appris à me respecter et aussi à respecter l'autre ; je n'ai plus envie de me forcer et de me mettre dans la position de celle qui attend que l'autre soit prêt. C'est trop douloureux. Notre séparation a lieu lors du congrès de la Corporation professionnelle des psychologues du Québec.

## Un atelier qui me met en rage

À l'occasion de ce même congrès, se passe un autre événement qui me met en contact avec ma colère: j'assiste à un atelier intitulé «L'acting-out sexuel en thérapie». Les deux présentatrices, Marie Valiquette et Hélène Lapierre, soulèvent, au moyen d'une mise en scène, la question des relations sexuelles entre thérapeutes et client(e)s. Présenté de façon neutre, sans jugement aucun, l'atelier a pour but d'ouvrir la discussion sur le sujet. Moi je suis incapable d'exprimer quoi que ce soit. Je suis envahie par la colère. Je rage intérieurement de voir que les animatrices ne condamnent pas cette pratique. Je sens que si j'ouvre la bouche je me mettrai à pleurer, à pleurer de rage. J'assiste à la discussion. Je réalise qu'il y a des psychologues capables de faire la distinction entre une relation thérapeutique, une relation d'amitié et une relation d'amour. Mais il y en a très peu. Pendant la tenue de l'atelier, je sors pour aller aux toilettes. J'aperçois au loin Alain Choinière. Il me voit, me sourit et m'envoie la main. Je me retiens sinon j'irais le griffer. Il n'assiste évidemment pas, lui, à cet atelier : il est au-dessus de toutes ces futilités.

Et la semaine suivante, pendant mon entrevue de thérapie à Montréal, je parle de tous ces événements : je m'en veux encore de ne pas avoir parlé pendant la tenue de l'atelier pour dire à quel point cette pratique des relations sexuelles avec les client(e)s est destructrice ; par contre, je suis fière de m'être affirmée face à Sylvain et de lui avoir manifesté mon désir de ne plus le voir.

À l'automne 1984, après mon retour de voyage, je revois à nouveau Robert. Nous nous entendons pour faire un dernier essai de fréquentations. Tout se termine deux mois et demi plus tard. Encore une fois, je suis décidée à me respecter dans ce que j'ai le goût de vivre avec un homme et à me retirer quand je m'aperçois que l'autre ne peut le satisfaire. Mais c'est ma troisième rupture en un an. J'ai l'impression d'être allée au bout de mon rouleau. En plus d'avoir de la peine, voilà que j'ai honte : je me trouve ridicule de vivre encore une fois une peine d'amour. J'accepte cependant de me montrer avec ma peine et de me faire ramasser en morceaux par mon thérapeute et une amie de Montréal, Nathalie.

## Je pars pour les Bahamas

Ce Noël 1984, je dis à mes parents et à ma sœur que j'ai de la peine et que j'ai décidé de partir pendant la période des Fêtes. Je pars avec cette amie de Montréal et quelques-unes de ses amies pour les Bahamas. Le jour de Noël, j'écris :

> J'ai l'impression d'être une espèce de petit monstre
> que personne ne pourra jamais aimer. Je désire mou-

rir, m'enlever une fois pour toutes le sang des veines. Encore aujourd'hui je me sens vidée, vidée de tout mon sang. Sans énergie. Morte.

Et le soir, je pleure. Je pleure avec Nathalie et ses amies. Je pleure avec Nathalie sur la plage. Je pleure de découragement. Je me sens traquée. Prise dans un engrenage où je tourne en rond, où je répète sans cesse le même pattern. Et je n'arrive pas à en voir la fin. Et j'ose dire à Nathalie que je pense au suicide.

Le lendemain, Nathalie et moi partons toutes les deux prendre une grande marche sur l'île. Nous prenons le temps d'aller à notre rythme, de marcher sur le sable, de regarder la mer, de nous arrêter, de savourer un apéro, de déguster une salade en plein air, de nous amuser à prendre des photos. Je m'apaise.

Puis Nathalie revient à Montréal et je reste avec ses amies. Je goûte avec elles le plaisir d'échanger, de placoter et de rire. Je lis le livre «Adieu» du Dr Howard M. Halpern; ce livre m'aide à identifier ce que j'ai vécu avec Robert. Et, le 1er janvier 1985, je peux écrire:

> Je ne me sens plus dans la peine de ma rupture avec Robert mais davantage dans le bien-être d'avoir quitté une relation non satisfaisante car je ne me sentais pas aimée.

Le 4 janvier, je termine mes vacances et je m'apprête à quitter l'île. Sur le quai, un Américain m'aborde; sa voix grave et calme me trouble. Je me retourne et j'aperçois un bel homme d'une quarantaine d'années. Nous parlons alors de nos vacances respectives. Son regard chaleureux m'exalte. Pendant le trajet jusqu'à l'aéroport, nous bavardons et nous rions ensemble. Nous prenons le même vol jusqu'à Atlanta. Il demande de faire le voyage à côté de moi. J'accepte avec plaisir. Nous échangeons sur notre travail, notre style de vie, nos valeurs. Que de complicité! J'ai le goût de me serrer contre lui. Je me raisonne, je me retiens. À l'aéroport d'Atlanta, il m'offre le jus d'orange que je n'ai pu obtenir en cours de vol. Je le trouve avenant, je le trouve charmant. Nous passons quelques heures à bavarder. Quelques instants avant de nous quitter pour prendre nos vols respectifs, nous nous serrons et nous nous embrassons. C'est à regret que nous nous séparons avec la promesse de garder le contact.

## J'apprends à être autonome

De retour à Québec, je continue à me «construire» une vie à mon goût. Je prends des leçons de ski alpin et je m'inscris à une session d'improvisation. Je commence à mûrir l'idée de séparer ma résidence et mon lieu de travail et éventuellement de m'inscrire à un doctorat qui réponde à mes aspirations. Je demande à une amie, Denise, de m'aider à perfectionner mon anglais. Le livre «L'art d'être égoïste» de Josef Kirschner m'encourage dans ma décision de m'organiser une vie à mon goût, une vie de plus en plus taillée à la mesure de mes désirs.

L'Américain que j'ai rencontré, Bruce, vit en Virginie. L'éloignement géographique me permet d'avoir le champ libre et de vraiment tenir compte de moi; par contre, la distance physique me fournit une occasion d'alimenter tout mon monde de rêves.

Je sens mon thérapeute et certaines amies inquiets: ils me confrontent avec le fait que j'ai très peu connu cet homme, qu'il reste assez loin et qu'il semble très préoccupé par son travail et la garde de ses quatre enfants. Je les écoute d'une oreille... et je sens monter la colère à l'intérieur de moi:

> Je crois que je suis assez grande pour vivre cette relation comme je l'entends. J'ai décidé de mener ma barque seule face à lui et de ne plus en parler aux autres. (8 mars)

> Je suis tout à fait écœurée d'écouter les autres, de me freiner, de me faire conseiller. Je vais faire mes propres gaffes habituelles et coutumières, je m'en fiche, je m'en fous, je m'en contrefiche et je m'en contrefous. Les autres diront ce qu'ils voudront, penseront ce qu'ils voudront. (9 mars)

J'ai besoin d'aller au bout de cette affaire et je suis décidée à y aller.

Entretemps, arrive un incident qui me fait réagir très fortement.

À mon retour de Montréal, un jeudi de mars, j'écoute mes messages sur mon répondeur. Il y en a un d'Alain Choinière: il me demande d'aller rencontrer ses étudiants lundi. Il ajoute qu'il y aura probablement deux autres psychologues, Yves Bellehumeur et un autre que je ne connais pas.

Je suis insultée. Je trouve ça dégueulasse: me demander ce service le jeudi pour le lundi suivant. Sa façon de parler et son ton de voix laissent entendre qu'il me fait une faveur. Non, mais s'imagine-t-il que je n'ai que cela à faire? Je trouve qu'il a du front tout le tour de la tête: me demander à moi, le jeudi, d'aller parler à ses étudiants le lundi. Je ne suis pas du genre à improviser devant une classe; quand je fais un travail, une présentation, peu importe, j'y mets un temps de préparation. Ne le sait-il pas, lui qui m'a eue en thérapie? Croit-il que je vais me fendre en quatre en fin de semaine pour répondre à la «faveur» qu'il me fait d'aller parler à ses étudiants? J'ai l'impression qu'il me prend pour une folle. Et en plus! À l'intérieur de son cours à Trois-Rivières! Il a du culot! Lui qui a eu des relations sexuelles avec moi en cours de thérapie, il me demande d'aller me présenter à ses côtés, devant des étudiants de psychologie, à ce cours. Et en plus! Avec Bellehumeur! Un psychologue qui a la réputation de coucher avec ses clientes. Et cet autre? A-t-il, lui aussi, ce genre de pratiques? J'ai l'impression que Choinière essaie de m'acheter. Voulant éviter d'avoir à lui parler, je laisse le message à sa secrétaire qu'il m'est impossible d'aller au cours de Choinière, lundi. Le jeudi suivant, encore insultée, j'en parle en thérapie.

## La lutte entre la réalité et le rêve

Au printemps 1985, je corresponds avec Bruce. J'ai parfois l'impression de jouer avec le feu:

> Je réalise combien ça me prend de l'énergie: je m'interroge sur les lettres que je lui écris, j'ai peur de sa réaction (bonne ou mauvaise), je m'interroge sur ce qui peut arriver.

Pendant cette relation à distance, je réalise toute l'importance de mon monde de rêves dans ma vie. Et je prends conscience qu'il en est ainsi depuis très longtemps. Un soir, en regardant un ballet à la télévision, revient le souvenir d'un rêve éveillé qui m'a longtemps habitée. Très jeune, j'aimais aller aux représentations des Grands Ballets Canadiens; je ramassais mon argent pour pouvoir me payer un très bon siège. Et je me payais du rêve. J'imaginais que j'étais la danseuse principale: c'était moi que le prince ou le héros aimait, c'était moi qu'il prenait dans ses bras. Je prends alors conscience à quel point ce rêve est souvent revenu avec l'espoir tenace qu'il se réalise un jour. N'était-ce pas ce que j'avais vécu avec mon premier thérapeute? N'est-ce pas ce que je fais encore dans ces coups de foudre répétés?

> J'ai l'impression, pour le moment, qu'il y a une lutte: une lutte entre la réalité et le rêve. Cette lutte me fatigue et me fait dormir. C'est comme si en dormant, je m'accordais la permission de rêver, sans qu'il y ait perte de la réalité. Je réalise que j'alimente mes rêves de très peu de choses.

La confrontation du rêve avec la réalité me fait peur. S'il fallait que la réalité ne colle pas à mes rêves, est-ce que je pourrais la supporter?

> Hier soir, en me couchant, j'ai eu un flash: si Bruce ne vient pas avant la fin juin, je pourrais me suicider cet été en Angleterre. Ce serait vraiment un moment opportun: personne ne le saurait et je partirais avec tous mes rêves.

Mon thérapeute ne manque pas une occasion de me ramener les deux pieds sur terre. Le message que j'entends de lui est celui-ci: «Tu t'illusionnes, tu vis dans le rêve. Retombe sur tes deux pattes! Il n'y aura jamais rien entre ce gars-là et toi.»

J'ai parfois envie de cesser mes rencontres de thérapie. Je trouve ça épouvantable cette confrontation qui remet tout en question, qui me fait douter de moi-même. Je trouve ça destructeur et vidant. Je ne vois vraiment pas le côté thérapeutique de ces rencontres. J'écris:

> Mon psychologue m'écœure royalement: ou bien je cesse ma thérapie, ou bien je la continue sans lui parler de tout ce qui se passe avec Bruce.

Je fais le choix de la dernière option.

À la fin mai commencent les conversations téléphoniques avec Bruce. À la fin juin, je vais passer une fin de semaine avec lui. J'ai besoin de cette rencontre. J'ai besoin de savoir quels sont les sentiments que cet homme éprouve à mon égard. Il vient me chercher à l'aéroport avec des fleurs. Il est heureux de me voir. Nous passons la fin de semaine ensemble et il me dit qu'il m'aime. Je pars donc pour l'Angleterre quelques jours plus tard avec la certitude que Bruce m'aime et que je vivrai éventuellement une relation stable avec lui.

À mon retour d'Angleterre, Bruce me téléphone et me laisse entendre qu'il aimerait venir à Québec, qu'il a envie d'être avec moi, qu'il se sent bien avec moi; mais... il a toujours des empêchements: ses voyages d'affaires à travers les Etats-Unis ou la visite de ses quatre enfants. Je passe seule à la Malbaie la fin de semaine de la Fête du travail. Il ne vient pas à la soirée organisée à l'occasion de mon anniversaire. L'écart entre ses paroles et ses gestes est tellement grand que je veux aller vérifier sur place ce qui se passe. Je décide d'aller le voir la fin de semaine du 6 décembre. Le 5, la veille de mon départ, il me téléphone pour me dire que son ex-femme a fait des changements dans la garde des enfants et qu'il les a avec lui cette fin de semaine-ci. Nous nous entendons alors pour nous rencontrer entre Noël et le 1er de l'An aux Bahamas. J'ai besoin d'aller au bout et je suis décidée à le faire. Je veux en avoir le cœur net une fois pour toutes.

Quelques jours avant mon départ, se passe un autre incident avec Choinière.

Lors d'une réception pour les psychologues de la région de Québec, j'aperçois Choinière et je fais semblant de ne pas le voir. Je ne veux rien savoir de lui. Je me sens très agressive face à lui. Pendant la soirée, alors que je parle à une amie, je le vois se diriger vers moi. Il arrive et il nous coupe la parole pour me parler du téléphone qu'il m'a fait au mois de mars au sujet de ma présence à son cours. Je me sens raide comme une barre, en colère et très tendue. J'éprouve de la répulsion à ce qu'il me touche et j'ai l'impression que, s'il le fait, je le giflerai. Je lui dis que j'ai besoin de temps pour mettre de l'ordre dans mes idées avant d'aller parler à un groupe. Il me dit qu'il me rappellera en mai pour son cours à l'automne et il s'éloigne.

## Je retourne aux Bahamas

Le lendemain de Noël, je vais rejoindre Bruce aux Bahamas, tel que prévu. L'accueil est chaleureux. Les premiers moments ensemble sont très tendres. Mais, peu à peu, je réalise que nous ne sommes pas sur la même longueur d'ondes: Bruce a le goût de parler à tous et chacun et moi j'ai envie d'être seule avec lui. Ces vacances avec lui me remémorent de vieux souvenirs douloureux où je ne suffisais pas à mon mari et où il fallait toujours la présence des autres. J'ai de la peine. Une peine ancienne et très profonde.

Un matin, seule sur les rochers face à la mer, je sens monter en moi ce même désir qui est apparu pour la première fois alors que j'étais en thérapie avec Choinière: j'ai besoin de me faire prendre, j'ai besoin que quelqu'un me prenne dans ses bras. Ce désir devient de plus en plus fort, il prend toute la place. À qui puis-je faire une telle demande? Bruce. C'est le seul nom qui s'impose. Où le trouver? Peut-être à la chambre. Je marche sur la plage en direction de l'hôtel. J'aperçois Bruce qui marche dans ma direction. Surprise, je lui dis que j'ai une faveur à lui demander: j'aimerais qu'il me prenne dans ses bras, qu'il me berce dans ses bras en me chantant une berceuse. Il m'amène sur un muret en bordure de la plage et, sous un palmier, il me berce dans ses bras tout en fredonnant une berceuse. Il me berce comme un père. Je pleure. Je pleure à gros sanglots dans tout mon corps. Je vois tous les efforts que j'ai dû faire pour aller me chercher un peu d'amour, efforts vains, sans résultats. Je vois se dérouler le film de toute ma vie.

Je cesse peu à peu mes pleurs. Je me sens épuisée. Je demande à Bruce de me laisser aller seule à la chambre. J'éprouve un calme profond que je n'ai jamais ressenti auparavant. Je m'étends sur le lit et je dors.

Ni Bruce ni moi ne reparlons de cet événement avant son départ. J'ai l'impression d'avoir outrepassé une limite. Aussi, quand Bruce retourne chez lui le lendemain, je le regarde s'éloigner du quai et je me dis que c'est probablement la dernière fois que je le vois.

Je demeure cinq jours aux Bahamas seule. Je revois tout ce qui s'est passé avec Bruce depuis maintenant un an: encore une fois, mon besoin de tendresse m'a incitée à me rapprocher de cet homme qui m'attirait et m'inspirait confiance; ses gestes d'attention m'ont réconfortée et je les ai interprétés comme un signe d'amour. Mon monde de rêves s'est remis en marche. Un monde rempli d'espoirs et d'illusions. Un monde envahissant où il y a peu de place pour le véritable contact avec l'autre ou avec moi. Un monde maintenant brisé, éparpillé en mille morceaux. Seule, je panse mes plaies. Je reprends peu à peu contact avec moi; je ne fais que ce que j'ai envie de faire, au moment où j'en ai envie et au rythme qui me plaît. Je reviens à Québec, reposée et sereine. J'ai la sensation d'avoir touché le fond, d'avoir satisfait dans les bras de Bruce le désir manifesté en thérapie en décembre 1976. Et ce désir n'avait rien de «sexuel».

Ces vacances me font découvrir à quel point je me force pour être aimée, à quel point je suis tenace dans cet espoir d'y arriver et, curieusement, à quel point je me contente de peu. Et même si je sens que ma relation avec Bruce approche à sa fin, je n'ai pas d'idées suicidaires.

J'ai de moins en moins envie de me forcer; je trouve que l'effort ne vaut pas le coup. Je sais maintenant que je peux avoir une vie intéressante, une vie qui me plaît, sans nécessairement vivre une relation avec un homme. J'apprends également à relativiser les mots et les gestes des hommes, à ne plus me laisser «bercer» d'illusions:

> Je SAIS très bien maintenant qu'entre ce qu'un homme dit et fait il y a tout un monde! Ça m'a pris des années à l'apprendre mais maintenant c'est clair dans ma tête.

Début d'année 1986. J'ai l'impression de laisser tomber une tension accumulée depuis de nombreuses années. Je me sens fatiguée, lasse; je n'ai plus d'énergie. J'écris:

> Je dors, je dors et je dormirais encore. Je n'ai plus envie de me forcer, de planifier. J'aurais le goût de tout laisser aller et de me laisser glisser sur un tunnel de glace, assise sur mon cul.

Mes rêves me font vivre de l'impuissance:

> C'est comme si mes efforts, mes demandes et mes avertissements n'étaient pas entendus, n'avaient pas

d'impact. Je suis comme paralysée, incapable de dire quoi que ce soit, niaiseuse. J'ai honte.

En avril, j'écris :

J'ai fini de faire des efforts. Tant pis ! Je vais me suivre et je verrai bien où tout ça me mènera. Je suis décidée à aller jusqu'au bout. Je suis prête à tout.

Je réalise peu à peu, en thérapie, que ma très grande fatigue cache de l'agressivité ; cette agressivité est tellement difficile à tolérer que je m'en coupe en dormant.

J'ai l'impression d'être un amas de colère refoulée. Je ne l'ai pas exprimée à mes parents, à mon ex-mari et à mon premier thérapeute. Du moins, pas de façon directe. Et je réalise que je la retiens encore face à ce que je vis avec Bruce et face à ce que j'observe dans ma profession. Il y en a trop. Je suis pleine de toute cette agressivité. Je veux bien commencer à la laisser sortir mais, comme me dit mon amie Nathalie, je dois apprendre à la «canaliser».

J'écris tout d'abord à Bruce une lettre où il est question de mes insatisfactions dans notre relation. Il me laisse entendre que, actuellement, son travail, ses enfants et sa santé sont ses préoccupations premières. Je lui écris une deuxième lettre où je lui exprime que j'ai le goût de vivre avec un homme une relation plus étroite que celle que nous avons. Il ne répond pas et je n'ai plus de ses nouvelles. Je ne suis ni surprise ni peinée : ce que j'ai vécu avec lui aux Bahamas annonçait cette rupture.

## Je m'élève contre certaines pratiques

À la fin d'avril, lors d'une rencontre des psychologues de la région de Québec, je ressens à nouveau de la colère : plusieurs psychologues seniors offrent de la formation à la psychothérapie à des professionnels d'autres disciplines et à des non-professionnels et, surtout, certains psychologues se permettent d'avoir des rencontres hors thérapie avec leurs clientes. Je considère inacceptables ces deux pratiques et je décide de les dénoncer éventuellement à la Corporation. Lors de cette même rencontre, je vois tout à coup entrer dans la salle... Choinière.

Je décide de l'ignorer. Pendant la pause, alors que je suis en train de parler avec une amie, Choinière arrive comme un cheveu sur la soupe et nous interrompt. Il n'a d'yeux que pour moi. Il me regarde intensément. Je reconnais ce regard : ce regard séducteur qu'il avait lorsqu'il avait envie de moi. Cette façon d'agir et ce regard me choquent. Je le trouve agressant. J'ai l'impression d'être un objet qu'il peut venir chercher au besoin. Un objet qu'il n'a qu'à séduire et voilà... le tour est joué. Toutefois, j'ai pris du recul face à lui. Suffisamment de recul pour le voir agir et sentir ma colère. Il me pose une ou deux questions. Je lui réponds froidement, sèchement. Et il s'éloigne. Je le vois sortir de la pièce. Mon amie est insultée : il l'a complètement ignorée bien qu'ils se connaissent. Il ne l'a probablement même pas aperçue tant il était occupé à me séduire, à m'avoir. Espérait-il m'avoir de la sorte pour aller parler à son cours ? Ma réponse a semblé assez claire, car il ne me le demandera jamais plus.

Encore une fois, je parle de cette rencontre en thérapie. Je dis à Serge Després que j'ai la désagréable impression que Choinière essaie de m'acheter. Je trouve que toute cette histoire n'a plus de fin.

Au début de mai, j'écris un article concernant la formation à la psychothérapie offerte à des professionnels d'autres disciplines ; je l'envoie pour publication dans le journal interne de la C.P.P.Q. Je mets en évidence le fait que, d'une part, la Corporation essaie de faire valoir le rôle et la compétence du psychologue et que, d'autre part, elle accepte que bon nombre de psychologues seniors forment à la pratique de la psychothérapie toutes sortes d'autres professionnels et même des non-professionnels. Cette situation me choque d'autant plus que j'ai crû bon faire un baccalauréat et une maîtrise en psychologie avant de suivre une formation à la psychothérapie.

## Je ne suis plus un objet !

Un incident qui, à première vue, semble n'avoir aucun rapport avec le second sujet, les relations sexuelles thérapeutes-clientes, m'offre l'occasion de «canaliser» ma colère en m'affirmant.

Mon comptable, avec qui j'ai toujours eu des relations professionnelles, vient un après-midi chez moi pour prendre des documents concernant mon rapport d'impôts. Après une conversation d'affaires, il se lève de table et me «pogne» les seins. Etonnée, je recule et lui demande ce qui se passe. Je l'observe; il n'est pourtant pas «décroché». Je crois alors qu'il est pompette: il a probablement pris de l'alcool à son lunch et il ne sait pas ce qu'il fait. Il s'essaie à nouveau. Encore une fois, je recule et lui demande ce qui lui prend. Il me répond qu'il aime serrer les femmes, qu'il est «minoucheux». Voyant que je ne réponds pas à ses avances, il prend son paletot et s'en va.

Je reste là bouche bée. Je repense à tout ce qui s'est passé pour voir si je n'ai pas fait ou dit quelque chose qui a pu l'exciter. Non. Rien. Puis, un souvenir me vient à l'esprit: plusieurs années auparavant, un autre homme m'a aussi «poigné» les seins, à l'insu de mon mari et de sa femme. J'ai été surprise, puis insultée. Tellement insultée que j'en avais parlé en thérapie à Choinière. Et sur ce, il m'avait répondu:

— Je ne te comprends pas; pourtant c'est un signe que tu es attirante, ça devrait te faire plaisir.

Je n'avais pas insisté, je n'en avais plus reparlé. Toutefois, je savais très bien que ma réaction avait été correcte car je m'étais sentie un objet. Un objet que quiconque peut toucher à sa guise, sans lui demander son avis.

Ce souvenir me rend furieuse. Je comprends alors que Choinière fait partie de cette race d'hommes qui se croient tout permis. Cette race d'hommes qui s'imaginent faire plaisir à une femme et même la valoriser en lui montrant, par un toucher érotique, qu'ils se sentent excités ou sur le bord d'une érection. Mon comptable, un beau riche divorcé, se croyait lui aussi tout permis. Il savait que je vivais seule, il a vu qu'il n'y avait personne d'autre dans l'appartement; alors il s'est essayé. Il a sans doute cru que je serais honorée de ses avances. Au contraire. Je suis insultée. Mais... il est maintenant en possession de mes papiers d'impôts.

Dans les jours qui suivent, il me fait niaiser à quelques reprises. Il me dit de passer à son bureau; je l'attends une heure et il ne se présente pas. Il me téléphone pour me dire qu'il me laissera mes documents en début de soirée; il sonne tard le soir et je ne prends pas le risque de répondre. À cette occasion, je comprends que le jeu peut durer longtemps. Je téléphone alors au Conseil du Statut de la Femme. J'explique mon problème et leur demande quels sont mes recours. Une femme me conseille de récupérer mes documents, de monter un dossier et de contester ses honoraires par lettre enregistrée. Ce que je fais point par point avec succès.

Je suis décidée à ne plus me faire avoir. J'ai suffisamment été naïve. Maintenant, c'est fini. Et les hommes qui essaieront de me passer un sapin vont voir de quel bois je me chauffe!

C'est à cette période-là que je mûris la décision de porter une plainte contre Choinière à la Corporation professionnelle des psychologues du Québec.

## Je porte plainte à la C.P.P.Q.

Je me renseigne tout d'abord auprès du Syndic de la C.P.P.Q. pour connaître les possibilités d'entreprendre une telle démarche et pour en évaluer les implications. Le Syndic m'informe qu'il n'y a aucune «prescription» pour ce genre de plainte: j'en conclus donc que je peux loger une plainte même après ce long laps de temps. J'apprends, par la même occasion, que je n'aurai à débourser aucun frais d'avocat et que l'enquête se déroulera sur une période de sept ou huit mois. J'ai donc la possibilité de loger une plainte sans que j'aie à débourser et sans que j'aie à vivre un trop long stress. Je prends alors la décision de loger une plainte à la C.P.P.Q. et je l'annonce à Serge Després. Je me sens très bien avec cette décision et j'en suis fière.

Au cours de cette même période, j'ai des nouvelles de Sylvain, l'homme avec qui j'ai rompu en juin 1984. Même s'il me plaît beaucoup, je ne veux le rencontrer qu'en ami. Le 20 mai 1986, je rapporte dans mon journal les paroles que j'ai dites à une amie:

> Je n'ai plus de relations sexuelles avec mes «amis»
> et j'attends, pour en avoir, de rencontrer un homme
> qui a autre chose que son pénis à partager.

À ma sœur, j'exprime mes hésitations à prendre des vacances avec Sylvain car je ne veux pas «me ramasser en petits morceaux à l'automne». Le 1er juin, j'exprime clairement à Sylvain que je suis bien en sa compagnie, qu'il me plaît beaucoup mais qu'il n'est pas question d'avoir des relations sexuelles tant qu'il n'y aura pas une perspective de vie commune. Il me dit qu'il est bien avec moi et souhaite que nous puissions nous voir de façon régulière.

Afin de donner suite à mon intention de séparer ma résidence de mon lieu de travail, j'entreprends des démarches pour l'achat d'un terrain. Je veux me faire construire une maison et je me sens prête à l'habiter seule. Avant le début de mes vacances, je fais une offre d'achat pour un terrain qui correspond à mes désirs et je commence à dessiner les plans de ma maison.

Au début de juillet, Sylvain vient me rejoindre dans les Laurentides où je me repose quelques jours avec des amies. Il m'annonce qu'il va passer une entrevue à Québec afin d'obtenir un emploi qui lui permettra de revenir dans la région. Nous convenons de faire ensemble un voyage en Nouvelle-Écosse à la mi-juillet.

Entretemps, j'apprends que mon offre d'achat du terrain est acceptée. Je pourrai donc faire construire ma maison dès l'automne.

Je me sens pleine d'énergie, très vivante. Toutes les décisions que j'ai prises depuis mai m'ont donné un élan: décision d'écrire l'article pour dénoncer la formation de certains psychologues seniors, décision de porter plainte contre Choinière, décision de m'affirmer face à Sylvain, décision d'acheter un terrain et de construire une maison.

À mon retour de voyage, au mois d'août, je commence à préparer mon dossier pour loger une plainte contre Choinière à la C.P.P.Q. J'entreprends la préparation de ce dossier par la lecture d'un document auquel je n'ai pas touché depuis 1981: le verbatim dactylographié de l'entrevue avec Linnda Durré. La lecture de cette entrevue est pénible: elle me renvoie l'image d'une femme accrochée à une relation malsaine et incapable de s'en sortir. À plusieurs reprises, je me fais la réflexion que Linnda Durré a dû me trouver mauditement «poignée». Je lis également pour la première fois toutes les photocopies des articles qu'elle m'avait envoyées. Il m'apparaît évident maintenant qu'il y a matière à porter plainte dans ma thérapie avec Choinière. Je lis aussi le chapitre que Linnda a écrit dans le livre «On Love and Loving» de Kenneth S. Pope, intitulé «Comparing Romantic and Therapeutic Relationships». Cependant, le document qui, à cette période, me réconforte le plus avec moi-même est la thèse de doctorat de Linnda intitulée « Sexual relations between female clients and male therapists », publiée sous le nom de Linda Jayne d'Addario en 1977. Tout y est très clairement dit :

> — le thérapeute qui a des relations avec ses clientes n'a pas le droit de le faire, même si la cliente est l'initiatrice ;

> — il devrait être accusé civilement de viol et psychologiquement d'inceste ;

> — c'est un acte considéré contre l'éthique car il fait preuve d'incompétence et aussi d'exploitation ;

> — les femmes qui ont eu des relations sexuelles avec leur thérapeute deviennent presque des zombis dans leur relation avec ce dernier ;

> — elles restent accrochées (hooked), incapables de manifester leur agressivité ;

> — elles ont consulté en période de crise ;

> — elles n'ont pas d'expérience de thérapie antérieure ;

> — elles ont pris plusieurs mois et même des années à se remettre de cette relation ;

> — toutes ont cherché un deuxième thérapeute pour les aider à sortir de cette expérience et les aider à régler les motifs de la première consultation ;

> — l'une d'elles a eu des relations dans la chambre attenante au bureau situé dans la maison du thérapeute ;

> — certaines femmes ont eu des idées suicidaires ;

> — les titres officiels de plusieurs de ces thérapeutes sont impressionnants « sur papier » ;

> — la différence d'âge entre le thérapeute et la cliente est assez grande.

Je ne peux m'empêcher de constater que si j'avais osé lire tous ces documents dès leur réception en 1981, ma plainte serait logée depuis longtemps auprès de la C.P.P.Q.

Le 30 septembre 1986, je loge une plainte à la C.P.P.Q. contre le Dr Alain Choinière. Ma lettre dénonce le fait que le Dr Choinière a eu des relations sexuelles avec moi pendant et après ma psychothérapie qui s'est déroulée d'août 1976 à juin 1977.

Après l'enregistrement officiel de ma plainte, je téléphone au Syndic pour savoir ce que je dois préparer pour une première rencontre. Je m'empresse donc d'établir un résumé des faits et de sortir les documents qui appuient ces faits : journaux personnels, cartes postales et lettres de Choinière, attestations des séjours en Californie, etc.

## Je rencontre le Syndic

En janvier 1987, le Syndic me téléphone et fixe un premier rendez-vous pour le 15 janvier. Il est entendu que nous nous verrons, en avant-midi, chez moi. Je prends connaissance à nouveau de tout le dossier et je me prépare pour cette rencontre.

Au début de la rencontre, je suis nerveuse. Je ne connais pas le Syndic et je lui parle de façon détaillée de la chronologie des événements et de façon intime de mon vécu. Voyant qu'il m'écoute, je me sens peu à peu plus à l'aise. Vers midi, après trois heures d'entretien, nous devons interrompre notre rencontre ; le Syndic me parle d'un deuxième rendez-vous pour terminer l'étude du dossier que j'ai préparé. Je suis satisfaite mais fatiguée.

Je rencontre le Syndic une seconde fois, le 24 mars ; nous mettons alors quatre heures pour couvrir le dossier. Le Syndic me demande s'il y a des personnes à qui j'ai parlé de cette affaire. Je lui explique que j'ai parlé de certains événements à certaines personnes. Il me conseille de les rejoindre et de leur demander qu'elles me fassent part de leurs souvenirs ; il me suggère aussi d'obtenir une copie authentifiée de certains documents et, si possible, d'avoir en ma possession des lettres attestant mes démarches auprès des deux psychologues de la Californie, à l'été 1980 et à l'été 1981. Croyant que l'enquête se déroulera effectivement à l'intérieur des sept ou huit mois prévus, je m'empresse d'effectuer ces démarches.

Au cours des mois suivants, je fais parvenir certains documents au Syndic et je l'informe des démarches en cours.

Automne 1987. Je commence à m'interroger et à m'inquiéter: pourquoi l'enquête se prolonge-t-elle au-delà des sept ou huit mois prévus? Pourquoi le Syndic n'a-t-il rencontré qu'un seul des trois psychologues pour lesquels j'ai signé des autorisations les déliant du secret professionnel? Je communique avec le Syndic et celui-ci me répond que l'enquête poursuit son cours, que ce genre de plainte est long à traiter et que, surtout, il y a plusieurs plaintes et beaucoup de travail alors que les journées n'ont que 24 heures. J'ai l'impression de le déranger.

Je décide alors d'entreprendre des démarches parallèles. Le 2 octobre 1987, je consulte une avocate pour connaître les possibilités d'engager une poursuite au civil. Nous examinons les enjeux, les risques et les coûts. J'y réfléchis. J'obtiens suffisamment d'informations pour que ma décision se précise: je ne poursuivrai pas le Dr Choinière au civil. En effet, je ne veux pas m'épuiser à sensibiliser le système judiciaire à cette problématique. De plus, il n'existe aucun cas de jurisprudence au Canada sur ce sujet et il m'apparaît que l'occasion serait trop belle pour un juge de rejeter ma plainte en invoquant le laps de temps trop grand. Et surtout, je ne connais pas d'experts dans ce domaine au Québec.

Vers la fin octobre, je m'implique comme sujet dans la recherche universitaire de Marie Valiquette, recherche portant sur le vécu de personnes, des hommes et des femmes, ayant vécu des relations sexuelles avec leurs thérapeutes.

À cette occasion, je participe à une rencontre d'un groupe de femmes ayant vécu cette expérience. Pour la première fois, je peux échanger avec d'autres femmes sur le sujet. Je ressens un très grand réconfort. À cette même occasion, Marie Valiquette me donne deux références de livres américains traitant spécifiquement cette problématique. Je les commande aussitôt.

Au début novembre, je communique à nouveau avec le Syndic et je lui demande où est rendue l'enquête. Il me répond qu'il n'a pas de comptes à rendre et que, si je veux accélérer la procédure, je n'ai qu'à téléphoner au Président de la C.P.P.Q. pour lui demander d'engager un autre Syndic ou, tout au moins, un Syndic-adjoint. Encore une fois, je réalise que je le dérange. Toutefois, je suis son conseil.

Le mardi 3 novembre 1987, je téléphone au Président de la C.P.P.Q. Je lui parle tout d'abord d'un autre dossier sur lequel je travaille et, dans un deuxième temps, je l'informe de ma plainte. Je lui dis que j'ai logé une plainte le 30 septembre 1986 pour une offense commise il y a plusieurs années, que le Syndic m'a alors informée que tout se déroulerait entre 7 et 8 mois et qu'il n'y a rien de fait. Je lui mentionne clairement que je tiens à l'informer de la lenteur des procédures afin qu'il puisse y remédier. Là-dessus il me dit qu'en effet, en 1986, la Corporation avait adopté, comme une de ses priorités, la résolution de répondre rapidement à ce genre de plainte. Il me demande quel est le nom du psychologue contre lequel je porte une plainte. Je ne réponds pas à sa question et je lui dis que je ne peux pas y répondre car c'est confidentiel. Il ajoute que je peux lui dire, que lui et le Syndic ont accès aux dossiers et sont sous secret professionnel. Je lui révèle alors le nom de Choinière. Il va consulter le dossier puis revient me dire: «Ta plainte doit être déposée au Comité de discipline au début de décembre.» Satisfaite de sa réponse, je le remercie et nous terminons notre entretien.

Décembre arrive. Je n'ai toujours pas de nouvelles de la C.P.P.Q., quinze mois après le dépôt de ma plainte. Une première psychologue de la Californie, June Benson, répond à ma lettre. Je commence la lecture du livre «Betrayal» de Lucy Freeman et Julie Roy. Ce livre raconte le déroulement du procès de Julie Roy, une Américaine qui a intenté une poursuite au civil contre un psychiatre qui a eu des relations sexuelles avec elle pendant son traitement. Les questions et les doutes surgissent. Alors que, dans le livre, il y a communication entre la plaignante et son avocat, moi je ne sais rien de ce qui se passe et je ne semble pas avoir le droit de le savoir. Je commence alors à douter du Syndic: ai-je bien fait de lui remettre les originaux de certains documents? Voyant aussi dans ce récit la réaction défensive du psychiatre, je commence à m'inquiéter: se peut-il que le Dr Choinière fasse des pressions auprès de la C.P.P.Q. pour taire ma plainte ou essayer de l'annuler en vertu du laps de temps écoulé?

## Je rédige ce livre

Je commence à faire des cauchemars. Des cauchemars où je n'ai ni le temps ni le lieu pour dire ce que je veux dire, pour dénoncer les séquelles et les conséquences de l'incompétence du Dr Choinière.

C'est alors que je décide d'écrire un livre. Un livre qui me donnera le temps et l'espace pour parler, pour dénoncer.

Je commence la rédaction de mon livre le 8 janvier 1988. Tout en rédigeant, je lis les deux livres que Marie Valiquette m'a suggérés lors de ma participation à l'enquête : « Sexual Dilemmas for the Helping Professional » de Edelwich et Brodsky, ainsi que « Sexual Intimacy between Therapists and Patients » de Pope et Bouhoutsos. Puis je téléphone à Linnda Durré en Californie afin de vérifier si elle a reçu ma lettre. Elle m'assure de sa réponse sous peu.

Dès la mi-février, je dois cesser d'écrire. Je suis envahie par tous les événements passés et les émotions intenses que ces souvenirs me font revivre. Choinière apparaît dans mes rêves. Toutes les démarches entreprises depuis le début d'octobre 1987 ramènent en force ce passé au présent. Je reprends contact avec mon thérapeute de Montréal et j'entreprends une série de rencontres aux quinze jours jusqu'au mois de juin afin de m'aider à traverser cette période difficile.

Le 15 février, je dois aller au bureau de la C.P.P.Q. à Montréal pour rencontrer, en tant que psychologue consultante, le Syndic au sujet d'une enquête impliquant une de mes clientes. Sans que je ne formule aucune question, il prend le temps de m'expliquer qu'il a été malade en novembre dernier et qu'il est débordé de travail. Concernant le dépassement des sept ou huit mois prévu, il me dit que, en avril 1986, il arrivait à respecter ce délai mais que, depuis, il y a eu plusieurs autres plaintes et que le délai est beaucoup plus long. Il m'informe qu'il prévoit terminer son enquête en avril et que, possiblement, la plainte sera déposée devant le Comité de discipline avant le début des vacances d'été 1988.

Le 25 avril, je reprends la rédaction de mon livre. Mais je dois cesser à nouveau d'écrire vers la mi-mai. En effet, je n'arrive pas à trouver mon rythme, un rythme qui me permettrait d'écrire « assez » pour dormir la nuit et «pas trop» pour ne pas être envahie le jour, de sorte que je puisse être tout à fait disponible à mes clients et clientes.

Au cours de l'été, je lis «Le viol du silence» d'Eva Thomas et «L'enfant sous terreur» d'Alice Miller. Ces deux auteures, qui dénoncent une autre forme d'abus de pouvoir, me convainquent de la nécessité de dénoncer cette forme-ci d'abus de pouvoir: celui des thérapeutes sur leurs client(e)s. Comme le dit Alice Miller:

> Comment les choses changeraient-elles dans la société, si les horreurs n'étaient pas dénoncées pour ce qu'elles sont?... Mais la condition de ce changement serait que l'on ne cache pas plus longtemps la vérité, si inconfortable soit-elle.

À partir du 27 juillet, la rédaction de mon livre devient une priorité. Je trouve peu à peu mon rythme en écrivant environ une heure et demie par jour, d'abord deux ou trois fois par semaine, puis quatre fois.

À l'automne, j'essaie à nouveau de savoir ce qu'il advient de la plainte que j'ai logée il y a maintenant deux ans. Je téléphone au Syndic le 6 septembre 1988. Aucun retour d'appel. Je lui téléphone à nouveau le 31 octobre. Aucun retour d'appel. Le lendemain, je téléphone et demande au Syndic de faire des photocopies des documents que je lui ai remis le 24 mars 1987, car mon compagnon, en voyage d'affaires à Montréal, ira chercher tous les originaux; je veux les mettre dans un endroit sûr, dans un coffre-fort. Sylvain va les chercher le 3 novembre 1988.

Je continue à me documenter: je lis une série d'articles et de livres sur le sujet (voir les articles et les livres marqués d'un astérisque dans la bibliographie ci-jointe).

En début d'année 1989, j'apprends que j'aurai besoin d'un avis juridique pour la publication de mon livre. Une collègue de Montréal, Marie Valiquette, assiste à un colloque sur cette problématique à Toronto et me donne la référence d'un avocat demeurant à Victoria, C.B. J'écris à ce dernier pour avoir le nom d'un avocat à Montréal ou à Québec. Je rencontre cet avocat et j'explore à nouveau les possibilités d'une poursuite au civil. Au Canada, contrairement à ce qui se fait aux Etats-Unis, les juges n'accordent pas de dommages punitifs; en supposant que Choinière soit reconnu responsable (car il n'y a aucun cas de jurisprudence au Canada), je ne pourrai recevoir qu'un montant nominal susceptible de couvrir les frais de mon avocat. Et le règlement hors cour utilisé présentement par certaines plaignantes? Au point où j'en suis, il est préférable de ne pas y avoir recours car Choinière pourrait demander l'interdiction de publier mon livre.

Alors, c'est entendu, je publierai ce livre.

# Bibliographie

American Psychological Association (1987). If Sex Enters Into the Psychotherapy Relationship. Washington, DC: American Psychological Association.

*Anonyma (1989). Séduction sur le divan. Paris: Éditions La Découverte.

*Augerolles, J. (1989). Mon analyste et moi. France: Lieu Commun.

Chesler, P. (1982). La mâle donne. Paris: Éditions Des Femmes.

*Claman, J.M. (1987). Mirror Hunger in the Psychodynamics of Sexually Abusing Therapists. American Journal of Psychoanalysis 1, 35-40.

D'Addario, L. (1977). Sexual relationships between female clients and male therapists (Doctoral dissertation, California School of Professional Psychology, San Diego). Dissertation Abstracts International, 1978, 38, 50007B.

*Dahlberg, C.C. (1969). Sexual Contact between Patient and Therapist. Article d'une communication présentée au William Alans White Psychoanalytic Society.

*Daigle, H. (1980). L'intimité sexuelle en psychothérapie. Essai de Maîtrise inédit, Université Laval.

*Diesenhouse, S. (1989). Drive seeks to Make Sex in Therapy a Crime. The New York Times. Avril.

Durré, L. (1980). Comparing Romantic and Therapeutic Relationships. in Pope (ed): On Love and Loving: Psychological Perspectives on the Nature and Experience of Romantic Love (pp 228-243). San Francisco. Jossey-Bass.

Edelwich, J., Brodsky, A. (1982). Sexual Dilemmas for the Helping Professional. New-York: Brunner/Mazel, Inc.

*Finlay, J.L. (1989). Ontario Board of Examiners in Psychology Sexual Involvement with Clients: A Legal Perspective. Communication présentée dans le cadre d'un atelier organisé par the Ontario Board of Examiners in Psychology and the Ontario Psychological Association, Toronto.

*Fortin, M.C. (1989). Deux sur le sofa. Actualité. Avril 5-6.

Freeman, L., Roy, J. (1976). Betrayal. New-York: Stein and Day.

*Gilbert, L.A. (1987). Female and Male Emotional Dependency and Its Implications for the Therapist-Client Relationships. Professional Psychology: Research and Practice 6, 555-561.

Halpern, H.M. (1983). Adieu. Canada: Le Jour, Éditeur.

Kirschner, J. (1983). L'art d'être égoïste. Canada: Le Jour, Éditeur.

*Lapierre, H., Valiquette, M. (1989). J'ai fait l'amour avec mon thérapeute. Montréal: Éd. Saint-Martin.

Miller, A. (1986). L'enfant sous terreur. France: Aubier.

*Morneault, B. (1988). L'inconduite sexuelle des professionnels de la santé et le droit disciplinaire québécois. Revue de Droit, Université de Sherbrooke, vol.19 no 1, 143-182.

*Pope. K.S. (1989). Therapists who Become Sexually Intimate with a Patient: Classifications. Dynamics, Recidivism and Rehabilitation. The Independent Practitioner 1-17.

Pope, K.S., Bouhoutsos, J.C. (1986). Sexual Intimacy between Therapists and Patients. New-York: Praeger.

Russianoff, P. (1981). Why Do I Think I Am Nothing Without A Man? New-York: Bantam Books Inc.

Saint-Arnaud, Y. (1978). J'aime. Canada: Les Éditions de l'Homme Ltée.

*Sanderson, B.A. (1989). It's Never O.K.: A Handbook for Professionals on Sexual Exploitation by Counselors and Therapists. Minnesota: Task Force on Sexual Exploitation by Counselors and Therapists.

Thomas, E. (1986). Le viol du silence. France. Aubier.

*Valiquette, M. (1989). Les séquelles psychologiques de l'intimité sexuelle en psychothérapie. Thèse de doctorat inédite, Université de Montréal.

*Valiquette, M. (1989). La santé sexuelle: aspects préventifs. Éthique et Consultation sexologique: aspects préventifs. Conférence.

# Avant d'aller sous presse

Lors de la rédaction de ce livre, je croyais sincèrement que la plainte que j'avais logée à la Corporation professionnelle des psychologues du Québec serait une des démarches fructueuses pour retrouver ma dignité de personne. Tel ne fut pas le cas.

L'avocat que j'avais consulté pour un avis juridique au sujet de la publication éventuelle de ce livre a vainement essayé d'obtenir de la C.P.P.Q. la raison qui retardait l'aboutissement de l'enquête. Il s'est adressé par la suite à l'Office des professions du Québec pour que celui-ci s'informe auprès de la C.P.P.Q. des raisons de ce délai de 3 ans. Ces démarches incitèrent tout au plus le syndic à rencontrer le psychologue de Montréal que j'avais consulté et pour lequel j'avais signé une formule le déliant du secret professionnel le 17 avril 1987, soit 2 ans et demi auparavant.

Finalement, le vendredi 7 septembre 1990, soit tout près de 4 ans après le dépôt de ma plainte datée du 30 septembre 1986, je reçus un rapport d'enquête de 22 pages. Ce rapport m'a semblé biaisé sous au moins 2 aspects: le syndic avait systématiquement omis de rapporter des faits importants et avait sélectionné les extraits non-incriminants de l'entrevue avec Linnda Durré. La conclusion générale du rapport est la suivante:

**«nous ne pouvons retenir votre plainte pour la porter devant le Comité de discipline, et sommes obligés de fermer ce dossier bien que pouvant**

**être moralement convaincus de la véridicité de vos dires.»**

Les 2 raisons majeures invoquées sont le fait que le Code d'éthique du psychologue (code de déontologie en vigueur à l'époque des actes reprochés) ne contenait pas une mention claire et distincte pour la prohibition d'avoir des relations sexuelles avec son client et le fait qu'il n'y avait pas de matériel pouvant servir à appuyer **ma** version des faits: «pas de journal contemporain, pas de lettre ou d'écrit pour ainsi dire compromettant que le psychologue [m]'aurait remis durant la psychothérapie, **pas de cassette des sessions de psychothérapie,** pas de cadeau ou d'objet donné **de nature pouvant indiquer l'existence d'un degré d'intimité suspect, pas de photographie de [moi] avec lui prise entre décembre 1976 et juin 1977.** »

Ce rapport m'a bouleversée et m'a révoltée. J'ai éprouvé la douleur d'avoir été trahie par quelqu'un à qui j'avais fait confiance; j'ai ressenti de la colère face à une telle injustice. J'ai mis 2 mois avant de pouvoir rassembler mes forces pour répondre à ce rapport erroné. Assise devant mon ordinateur pendant 6 jours, j'ai produit une lettre de 24 pages dans laquelle je corrigeais tous les biais, toutes les erreurs et toutes les faussetés. Et j'ai envoyé une copie de ma réponse au syndic, au Président de la Corporation professionnelle des psychologues du Québec ainsi qu'au Président de l'Office des professions du Québec.

Voici le résultat de l'examen par l'Office des professions concernant le rapport du syndic et ma réponse au rapport du syndic:

> «...n'a pas été retenu comme étant un obstacle au dépôt d'une plainte, le fait que le code de déontologie en vigueur à l'époque des actes reprochés ne contenait pas une mention claire et distincte sur la prohibition d'avoir des relations sexuelles avec un client ou une cliente.»

> «...n'a pas été retenu comme étant un obstacle au dépôt d'une plainte, le fait que le rapport du syndic et votre réponse font ressortir qu'il n'y a ni témoin, ni preuve documentaire directe, **le tout ayant plutôt**

**pour effet de placer les parties sur un pied d'égalité** quant aux moyens de preuve à utiliser lors d'une éventuelle audition d'une plainte.»

Et depuis... le Président de l'Office des professions du Québec a envoyé 2 lettres au Président de la Corporation professionnelle des psychologues du Québec l'incitant à porter ma plainte devant un Comité de discipline. La C.P.P.Q. répond en parlant de la «**minutie**» avec laquelle mon dossier a été analysé et justifie la décision du syndic en invoquant «**l'analyse sérieuse et approfondie**» de ma plainte. De plus, le Président de la C.P.P.Q. parle «**d'ingérence injustifiée**» de l'Office dans les affaires de la C.P.P.Q., alors que le syndic avait déjà parlé de «**harcèlement**» lors du téléphone de mon avocat. Dans chacune de ses lettres, la Corporation professionnelle des psychologues du Québec prend bien soin de me rappeler, comme il se doit, que si je ne suis pas satisfaite de la décision du syndic, je n'ai qu'à me payer un avocat personnel pour porter une plainte privée devant un Comité de discipline, en vertu de l'article 128 du Code des professions.

Dans une longue lettre adressée à l'Office des professions du Québec, j'ai mentionné la **minutie** avec laquelle j'avais fait toutes mes démarches depuis 5 ans et j'ai clairement signifié **ma décision de ne pas porter une plainte privée en vertu du deuxième alinéa de l'article 128 du Code des professions.** En effet, accepter de me prévaloir de cet article pour porter une plainte privée signifierait pour moi encourager le syndic à produire des rapports d'enquête malhonnêtes et biaisés tout en se donnant bonne conscience: si le plaignant ou la plaignante n'est pas satisfait(e), il/elle n'a qu'à se payer un avocat pour porter une plainte privée. Et s'il/elle ne le fait pas, c'est tout simplement qu'il/elle accepte la décision du syndic. Et pourtant... combien de gens n'ont pas les moyens de se payer un avocat, combien n'ont tout simplement pas l'information ou la ténacité pour dénoncer ce genre de tactique visant à protéger une image de compétence auprès du grand public! Malheureusement, ces gens gardent l'impression que les corporations professionnelles visent **la protection** de leurs membres avant celle du public. Et, à partir de mon expérience personnelle, j'ajouterai cette précision: il arrive que les corporations professionnelles visent la protection de leurs membres avant celle du public lorsqu'il s'agit d'un membre connu qui occupe un poste influent.

Avant de terminer, j'ajouterai quelques commentaires sur ma situation personnelle actuelle, commentaires qui visent à répondre aux questions que se posait vivement mon éditrice à la suite de la lecture de mon manuscrit. J'ai effectivement fait construire ma maison dans un endroit paisible; j'y partage ma vie avec le Sylvain de mon livre. Je sais maintenant qu'il est possible de vivre une relation d'intimité où je peux tenir compte de mes besoins, de mes goûts et de mes intérêts. J'ai aussi entrepris des études de doctorat en psychologie à l'endroit où je désirais depuis plusieurs années étudier, au Saybrook Institute de San Francisco. Mon indépendance financière et mon statut professionnel m'ont permis d'investir énormément d'argent et de temps pour dénoncer une pratique destructrice: celle des abus sexuels commis par des thérapeutes. J'espère que ma contribution pourra aider un certain nombre de victimes de tels abus à reprendre en mains leur propre vie. J'espère également que ce livre incitera certaines autres à parler, à dénoncer cette pratique dévastatrice.

# Message spécial

À toutes les victimes qui auront le goût d'écrire leur expérience et de me la faire parvenir, voici une adresse où vous pourrez me rejoindre:

C.P. 7
Stoneham (Qc)
G0A 4P0

Si vous désirez que je communique avec vous d'une façon quelconque, incluez dans votre envoi une enveloppe pré-adressée et pré-affranchie ou laissez votre numéro de téléphone et votre indicatif régional.

Si vous connaissez des gens qui veulent se procurer mon livre par courrier, ils n'ont qu'à communiquer avec moi à l'adresse ci-haut mentionnée.

De tout cœur avec vous,

# Table des matières

Achevé d'imprimer en Novembre 1991
sur les presses de Imprico,
division de Imprimeries Quebecor Inc.
Ville Mont-Royal, Qué.